D1065677

Initiation aux échecs

Catalogage avant publication de Bibliothèque et Archives Canada

Landry, Sylvain
Initiation aux échecs

1. Échecs (Jeu) – Ouvrages pour la jeunesse. I. Titre.

GV1446.L36 2005 j794.1 C2005-941979-2

Pour en savoir davantage sur nos publications,
visitez notre site : **www.edhomme.com**
Autres sites à visiter : www.edjour.com
www.edtypo.com • www.edvlb.com
www.edhexagone.com • www.edutilis.com

10-05

Dépôt légal : 4e trimestre 2005
Bibliothèque nationale du Québec

ISBN 2-7619-2143-7

DISTRIBUTEURS EXCLUSIFS :

- Pour le Canada et les États-Unis :
  MESSAGERIES ADP*
  955, rue Amherst
  Montréal, Québec H2L 3K4
  Tél. : (514) 523-1182
  Télécopieur : (450) 674-6237
  * Filiale de Sogides ltée

- Pour la France et les autres pays :
  INTERFORUM
  Immeuble Paryseine, 3, Allée de la Seine
  94854 Ivry Cedex
  Tél. : 01 49 59 11 89/91
  Télécopieur : 01 49 59 11 96
  Commandes : Tél. : 02 38 32 71 00
  Télécopieur : 02 38 32 71 28

- Pour la Suisse :
  INTERFORUM SUISSE
  Case postale 69 - 1701 Fribourg - Suisse
  Tél. : (41-26) 460-80-60
  Télécopieur : (41-26) 460-80-68
  Internet : www.havas.ch
  Email : office@havas.ch
  DISTRIBUTION : OLF SA
  Z.I. 3, Corminbœuf
  Case postale 1061
  CH-1701 FRIBOURG
  Commandes : Tél. : (41-26) 467-53-33
  Télécopieur : (41-26) 467-54-66
  Email : commande@ofl.ch

- Pour la Belgique et le Luxembourg :
  INTERFORUM BENELUX
  Boulevard de l'Europe 117
  B-1301 Wavre
  Tél. : (010) 42-03-20
  Télécopieur : (010) 41-20-24
  http ://www.vups.be
  Email : info@vups.be

Gouvernement du Québec – Programme de crédit d'impôt pour l'édition de livres – Gestion SODEC – www.sodec.gouv.qc.ca

L'Éditeur bénéficie du soutien de la Société de développement des entreprises culturelles du Québec pour son programme d'édition.

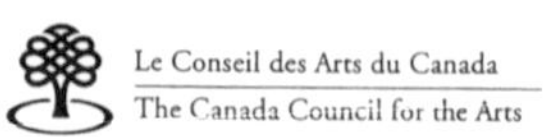

Nous remercions le Conseil des Arts du Canada de l'aide accordée à notre programme de publication.

Nous reconnaissons l'aide financière du gouvernement du Canada par l'entremise du Programme d'aide au développement de l'industrie de l'édition (PADIÉ) pour nos activités d'édition.

Sylvain Landry

Initiation aux échecs

de 6 à 9 ans

Je dédie ce livre à Sandrine, Frédéric et Martine.
Que je suis chanceux de partager votre vie !

Préambule

Allô cher lecteur !

Cette petite histoire va te permettre d'apprendre à jouer aux échecs ! Outre Boris et Sofia, les autres personnages que j'ai imaginés sont la déesse symbolique du jeu d'échecs Caïssa, la gardienne Sylvie et le maître Kastapov. Je vous présente également les personnalités qui font l'histoire du jeu d'échecs : Sissa (le légendaire inventeur du jeu), Philidor (le premier à démontrer l'importance des pions), Morphy (pour le développement rapide des pièces), Steinitz (pour l'accumulation de petits avantages et le jeu de position) et, plus récemment, Bobby Fischer et Garry Kasparov.

CITATION DE VOLTAIRE
(ÉCRIVAIN FRANÇAIS, 1694-1778)

« Les échecs, ce jeu qui fait le plus honneur à l'intelligence humaine. »

Ce livre explique tous les règlements et bien plus :

- comment déplacer et capturer les pièces ;
- comment attaquer le roi adverse ;
- comprendre les règles particulières ;
- comment lire une partie d'échecs ;
- comment commencer, continuer et terminer la partie ;
- comment reconnaître les manœuvres tactiques.

Je te donne pleins de trucs pour bien jouer aux échecs ! Tu pourras épater tes parents et amis avec des coups spectaculaires.

C'est un cours complet du jeu d'échecs que tu tiens entre tes mains. Tu peux maintenant découvrir ce jeu magique qui tue l'ennui les jours de pluie !

Sylvain Landry

CITATION DE BENJAMIN FRANKLIN
(GRAND HOMME D'ÉTAT ET PHYSICIEN AMÉRICAIN, 1706-1798)

« La vie humaine ressemble à une partie d'échecs, où nous trouvons des adversaires et des compétiteurs avec lesquels il nous faut lutter, et où se rencontrent mille circonstances difficiles, qui mettent notre prudence à l'épreuve. »

Chapitre 1

L'UNIVERS FASCINANT DES ÉCHECS

Boris et Sofia naviguent sur Internet. Le site d'astronomie qu'ils consultent les fascinent : l'univers est tellement grand ! Miaou ! Le chat passe furtivement et fait tomber la souris de l'ordinateur… Tout à coup, un drôle de carré apparaît à l'écran. Non, ce sont plutôt 64 petits carrés qui forment un quadrillage blanc et noir. Les enfants voient surgir une magnifique jeune femme qui explique :

— Bienvenue les enfants ! Vous êtes dans mon univers. Je suis Caïssa la déesse symbolique du jeu d'échecs. Mon royaume est constitué de ces 64 cases. Mes sujets sont les 32 figures qui se déplacent uniquement dans mon royaume. Avec moi, vous allez découvrir le roi des jeux. Mais attention, vous devez suivre mes instructions attentivement afin de pouvoir poursuivre la visite de mon royaume. Sinon, vous serez retirés du jeu et déconnectés ! À tout moment, vous pouvez me poser une question en cliquant sur l'icône « Question ». Je sais tout sur mon univers virtuel et je connais aussi vos noms ! Alors, ne soyez pas timides !

Boris clique rapidement sur l'icône magique :

— Apprendre à jouer aux échecs ? Mais c'est beaucoup trop compliqué !

— N'importe qui peut apprendre à jouer aux échecs, même toi Boris ! Contrairement à la croyance populaire, ce jeu est simple à apprendre. C'est un jeu qui utilise l'intelligence et l'imagination, et où la chance et la force physique sont absentes. Tous peuvent donc y jouer : enfants, grands-parents, aveugles et ordinateurs. Dans les tournois, des joueurs de tous les âges s'affrontent. Ce jeu tue l'ennui et stimule l'esprit. Il développe la logique et la capacité de concentration.

Les enfants sont comme hypnotisés par Caïssa ! Celle-ci poursuit :

— Son origine se perd dans la nuit des temps, mais il est toujours nouveau. Une forme rapprochée du jeu d'échecs apparut au Ve siècle en Inde : le Chaturanga, qui signifie « Quatre rois ». Il se jouait à quatre joueurs avec un dé qui désignait la pièce à bouger. L'élément de hasard était problématique puisqu'il ne récompensait pas l'intelligence : « Dieu ne joue pas aux dés », comme disait Einstein (célèbre physicien). Avec le retrait du dé et la réduction de quatre à deux rois naquit une nouvelle forme du jeu : les échecs !

Sofia :

— Je veux apprendre ! Où est ce bouton « Question » ? Je veux pouvoir jouer aux échecs. Cliquons la question « Comment jouer aux échecs ? » !

L'HISTOIRE DU JEU : UNE IMPORTANTE DÉCOUVERTE ARCHÉOLOGIQUE EN 2002

Des archéologues britanniques ont récemment découvert une pièce d'échecs en ivoire à Butrint au large de l'île grecque de Corfou. Cette pièce de quatre centimètres de haut est décorée d'une croix et donc adaptée aux joueurs chrétiens. Cette découverte démontre que le jeu était probablement déjà pratiqué dès le Ve siècle après Jésus-Christ en Europe contrairement à ce qu'on croyait jusqu'alors. Avant cette découverte, les historiens pensaient que les Arabes avaient introduit le jeu en Europe vers le Xe siècle. Il reste malheureusement peu de documents pour vérifier toutes ces hypothèses historiques.

Caïssa :

« Les échecs se jouent entre deux joueurs qui déplacent une pièce à tour de rôle. Le joueur qui a les blancs commence le premier. C'est ensuite au tour du joueur qui a les noirs de jouer. Les blancs peuvent alors jouer et ainsi de suite. N'oublie pas d'attendre que ton adversaire ait joué son coup avant de faire le tien ! Sinon, tu jouerais deux coups de suite.

« La partie se joue sur un grand carré, l'échiquier, constitué de 64 cases (carré de 8 cases de haut et 8 cases de large, soit 8 × 8 = 64 cases), alternativement blanches et noires. La dimension des cases est telle que les pièces franchissent une case par pas : que ce soit un pas à gauche, à droite, en bas, en haut ou en diagonale (oblique). »

LA LÉGENDE DE SISSA

Soixante-quatre cases peut sembler bien peu mais pour bien comprendre ce que ce nombre représente, je vais vous raconter la légende de Sissa qui remonte au Ve siècle en Inde. Sissa ayant inventé le jeu d'échecs afin de divertir le roi, ce dernier, ravi, lui demanda quelle récompense il désirait. Sissa demanda le nombre total de grains de blé obtenus en doublant le nombre à chaque case : un grain sur la première case, deux grains sur la deuxième, quatre sur la troisième, huit sur la quatrième, et ainsi de suite jusqu'à la soixante-quatrième case. Récompense modeste ? Non, puisque tous les greniers de l'empire ne purent fournir les 18 446 744 073 709 551 615 (18 quintillions) de grains demandés par Sissa !

Caïssa poursuit :

— On place l'échiquier de telle sorte que la case située complètement à droite de chaque joueur soit une case blanche.

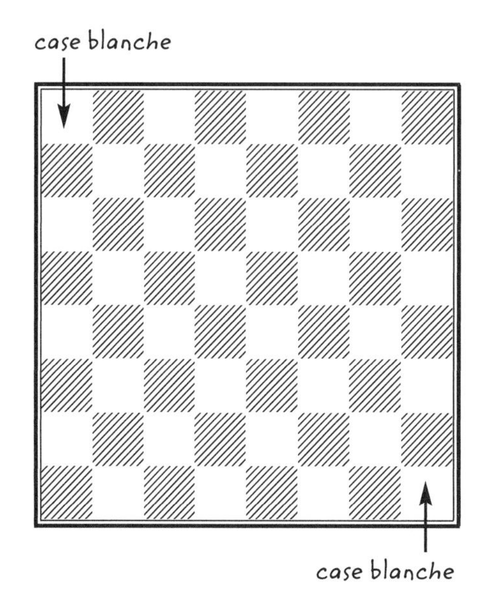

Sofia :

— Pourquoi est-ce si important ?

Caïssa :

— Cela permet de mieux visualiser l'échiquier et de placer les dames sur les bonnes cases comme on verra bientôt. L'échiquier est également formé de huit colonnes (verticales), de huit rangées (horizontales) et de nombreuses diagonales.

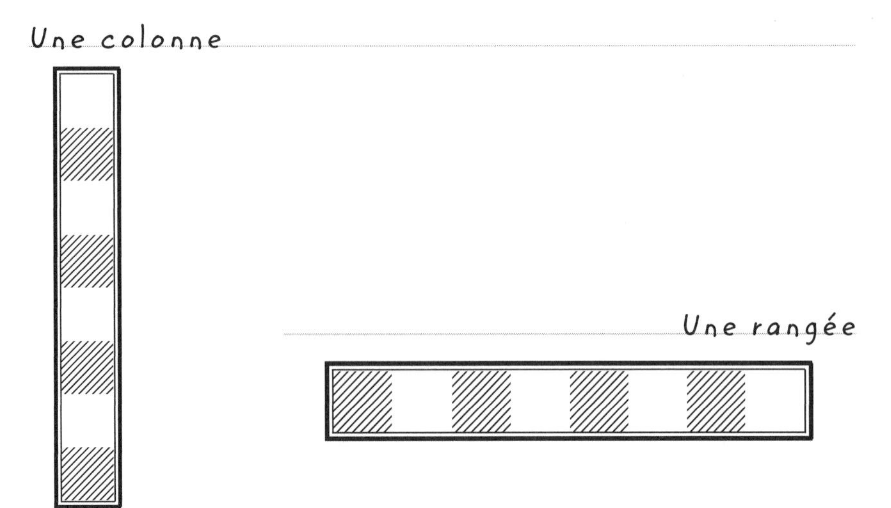
Une colonne
Une rangée

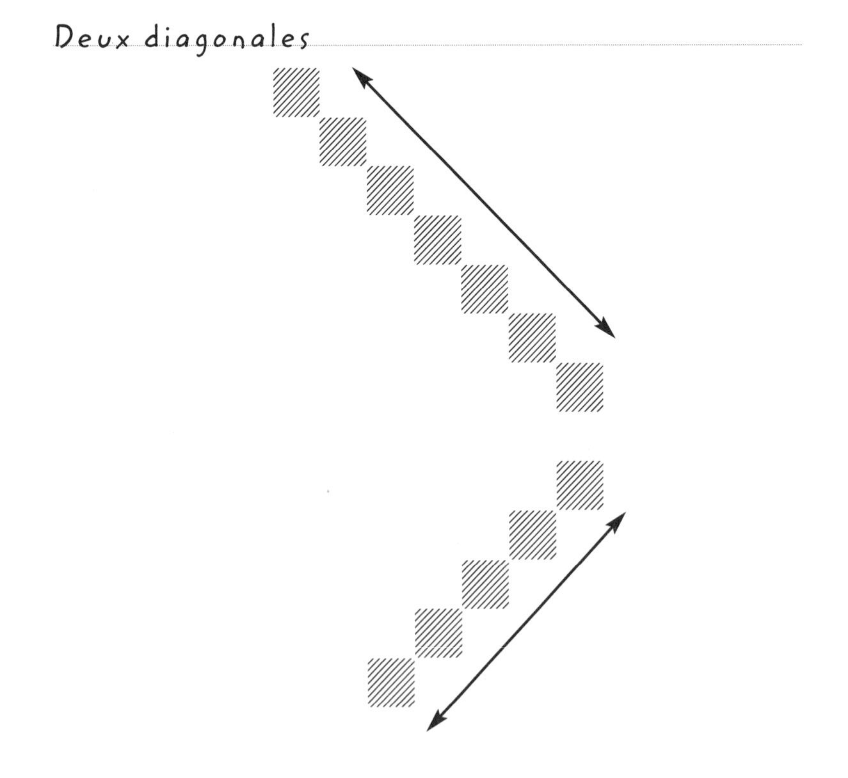
Deux diagonales

Colonnes, rangées et diagonales (tous ensembles !)

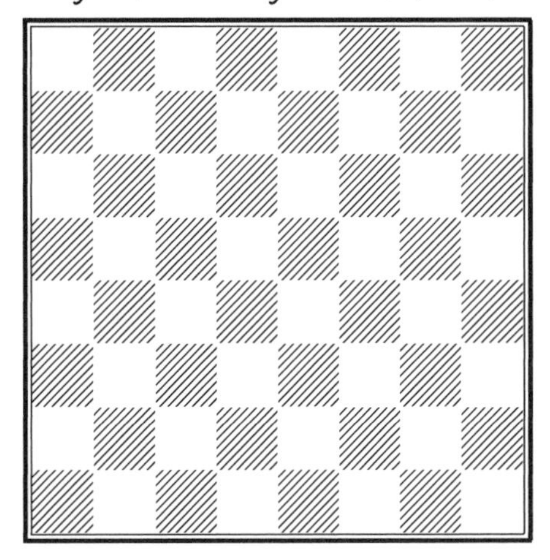

— Les deux adversaires disposent chacun de huit belles pièces, représentant un roi ♔, une reine ♕ (mais on doit l'appeler dame), deux tours ♖ (comme la tour d'un château fort), deux fous ♗ et deux cavaliers ♘ (les pièces avec des têtes de chevaux), ainsi que huit pions ♙. Ces pièces représentent deux armées qui s'affrontent. Le but du jeu est de réussir à *coincer* le roi de l'adversaire grâce à une méthode spéciale appelée *échec et mat.* Sois patiente, Sofia ! Tu apprendras bientôt comment faire échec et mat. Maintenant, regarde l'image suivante.

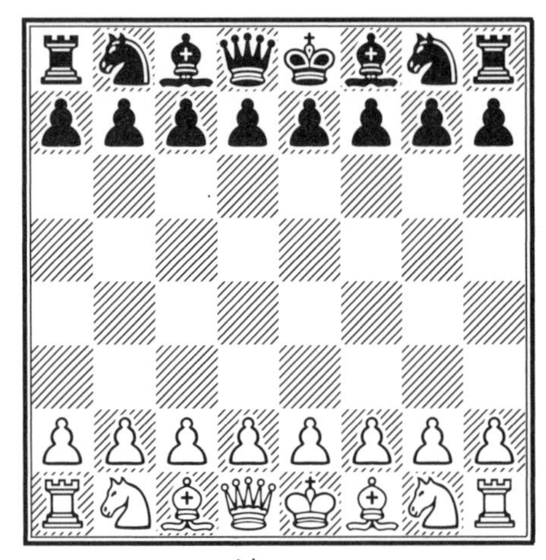

Caïssa :

« Voici comment placer les pièces correctement au début de la partie. Les pièces et les pions des adversaires sont disposés en face à face de la même façon, chaque pièce étant placée vis-à-vis celle de l'adversaire : le roi blanc à l'opposé du roi noir, la dame blanche en face de la dame noire, et ainsi de suite comme illustré. Les pions sont alignés devant les autres pièces sur la deuxième rangée pour les blancs et sur la septième rangée pour les noirs.

« La dame doit être placée sur la case de sa couleur : la dame blanche sur la case blanche à côté du roi blanc et la dame noire sur la case noire à côté du roi noir.

« Le jeu d'échecs est souvent le théâtre de situations dramatiques ! Certains joueurs oublient même de manger et de faire leurs devoirs lorsqu'ils jouent aux échecs ! »

La gardienne entre en scène, elle s'intéresse au jeu d'échecs qu'elle voit sur l'écran d'ordinateur, pose quelques questions aux enfants et leur demande d'aller au lit, car c'est déjà l'heure du dodo.

Règles à mémoriser

- Toujours placer l'échiquier avec une case blanche dans le coin en bas à droite.
- Au début de la partie, les dames doivent être placées sur les cases de leur couleur.

Questions et exercices

- L'échiquier est constitué de combien de colonnes ?
- Au début de la partie, les joueurs disposent chacun de combien de pièces ?
- Combien de pions y a-t-il au début d'une partie ?
- Trouve le plus court chemin entre la tour et le roi (mets un x ou fait une flèche sur les cases du chemin).

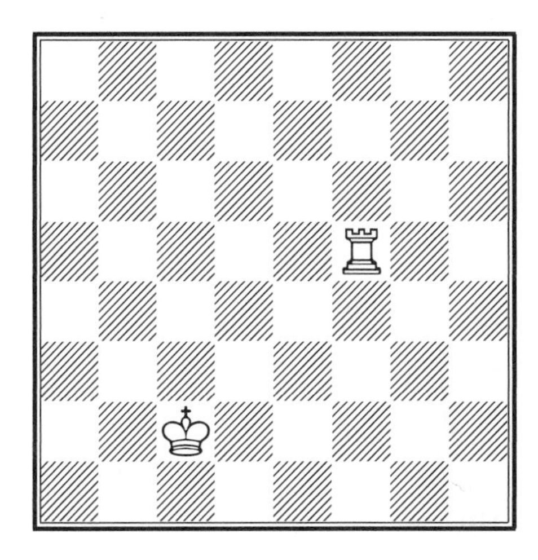

- Lequel de ces trois jeux d'échecs est placé correctement au début de la partie ? Encercle-le.

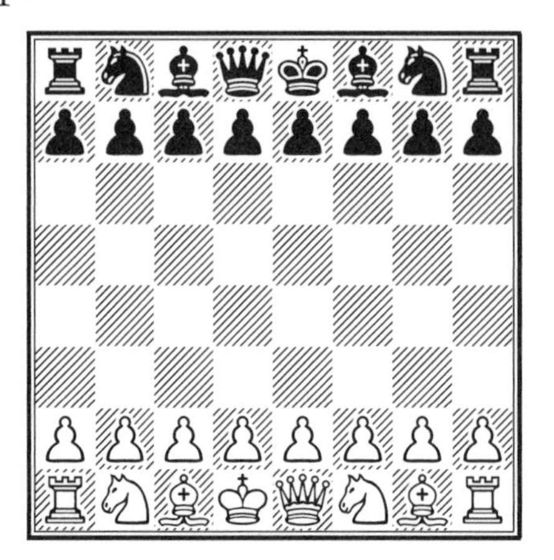

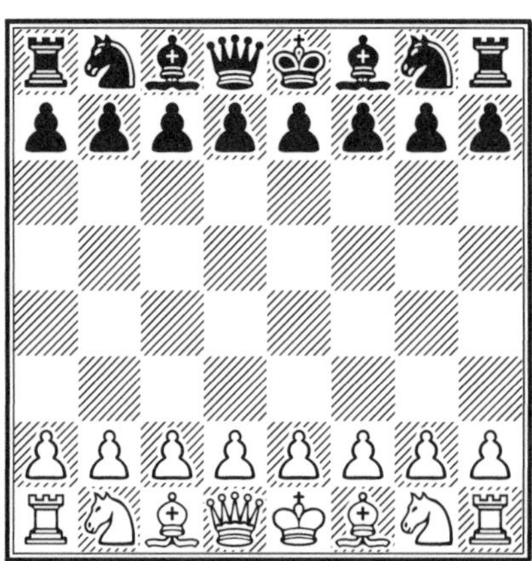

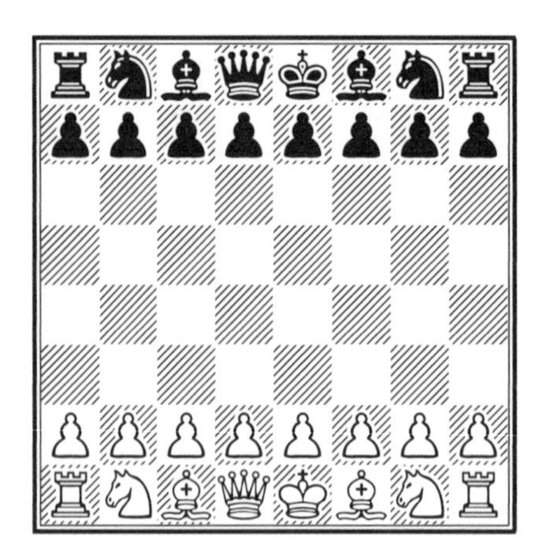

Chapitre 2

SOFIA ET BORIS APPRENNENT COMMENT DÉPLACER LES PIÈCES ET EFFECTUER LES CAPTURES

Les enfants ont très bien dormi. Ils sont excités à l'idée de continuer leur apprentissage du jeu d'échecs. Par chance, il n'y a pas d'école aujourd'hui : c'est une journée pédagogique !

Caïssa :

« Nous allons maintenant apprendre à déplacer les six pièces différentes. Chacune des pièces a sa propre personnalité ! Nous les présentons en ordre croissant de difficulté. »

La TOUR : l'impitoyable

La tour ressemble à la tour d'un ancien château fort. La puissante tour se déplace impitoyablement, en ligne droite, le long des colonnes ou des rangées, dans les directions verticales et horizontales. Elle peut franchir plusieurs cases à la fois à condition qu'aucune pièce ne soit dans son chemin. Elle peut donc avancer, reculer ou se déplacer sur les côtés d'une, deux ou même plus de cases d'un seul coup ! Deux tours sur la même colonne ou sur la même rangée sont très puissantes et dangereuses pour les pièces adverses qui sont sur leur chemin.

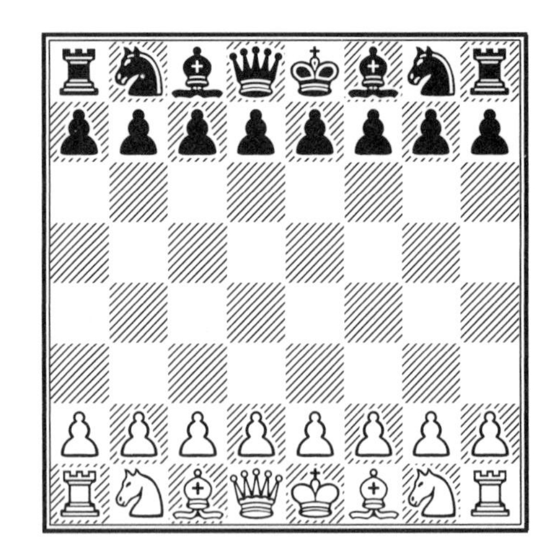

La tour peut capturer une autre pièce en prenant sa place sur sa case.

Boris :

— Capturer une pièce de l'adversaire ? On fait ça comment ?

Caïssa :

— La prise se fait par substitution : la pièce attaquante prend la place de celle qui est capturée. La pièce capturée est alors retirée du jeu. Attention ! Le roi ne peut être pris, il faut le mater. Je vous montre comment très bientôt !

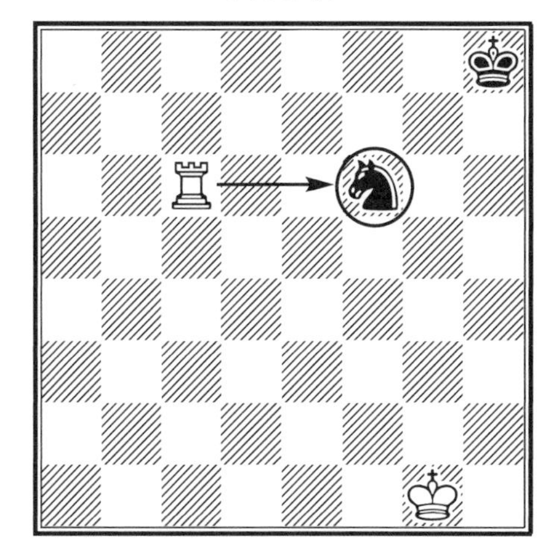

Dans le diagramme précédent, on dit que le cavalier est en prise. Une pièce est en prise lorsqu'elle est attaquée par l'adversaire et qu'elle n'est pas défendue par une autre pièce.

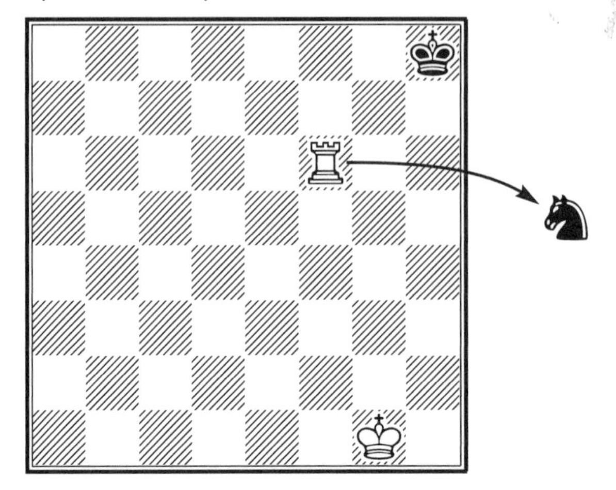

Boris :

— Est-ce qu'on peut reprendre un coup qu'on regrette d'avoir joué ?

Caïssa :

— Eh bien non, mon cher Boris ! Dès qu'on touche une pièce, on doit la jouer ou la capturer.

C'est la règle « pièce touchée – pièce jouée ». Il y a une exception qui permet de jouer un autre coup : lorsqu'on joue un coup illégal, c'est-à-dire un coup qui ne respecte pas les règles. Si on veut replacer une pièce, on doit dire « j'adoube ».

Le FOU : le bouffon qui fait rigoler le roi, la reine et toute la cour

Il tire son nom des bouffons chargés de faire rire pendant les fêtes au château. Ceux qu'on appelait les fous du roi. Le fou se déplace d'une drôle de manière : en diagonale. Ou en zigzag ! La logique de son déplacement est la même que pour la tour, mais en glissant sur les cases libres des diagonales au lieu des colonnes ou rangées. Comme un éclair, il avance, recule, franchit plusieurs cases à la fois. Il peut capturer une pièce de l'adversaire se trouvant sur la même diagonale si aucune autre pièce est dans son chemin. Le fou capture une pièce de l'adversaire en prenant sa place comme le fait la tour. Le fou est la seule pièce condamnée à rester toujours sur des cases de la même couleur. Chaque camp dispose donc d'un fou de case blanche et d'un fou de case noire. De plus, le roi et la reine ont chacun un fou pour mieux rigoler !

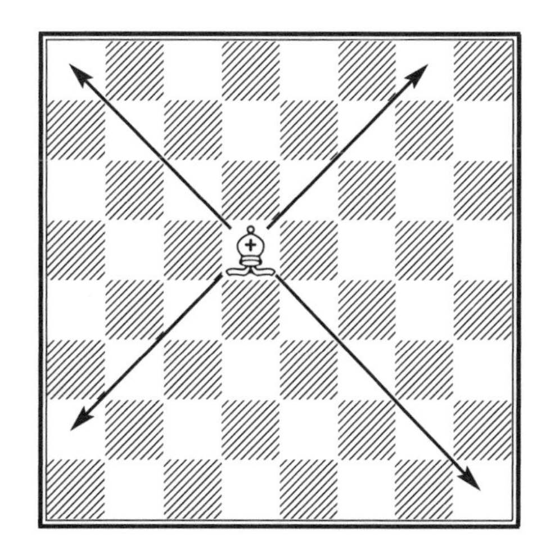

La DAME : la gracieuse dominatrice

Caïssa :

« Le déplacement de la gracieuse dame combine ceux de la tour et du fou. Elle est très puissante car elle peut parcourir les colonnes, les rangées et les diagonales tant qu'aucune pièce n'entrave son chemin. Elle peut capturer une pièce de l'adversaire en prenant sa place comme pour la tour et le fou. La dame est précieuse, il faut la préserver longtemps pour pouvoir l'utiliser lors de l'attaque sur le roi de l'adversaire. Il faut aussi prendre garde à la dame de l'adversaire : elle est dangereuse ! »

Astuce importante : il ne faut pas sortir la dame trop vite au début de la partie. Si la dame sort trop tôt, elle devient vulnérable à l'attaque des pièces de moins grande valeur.

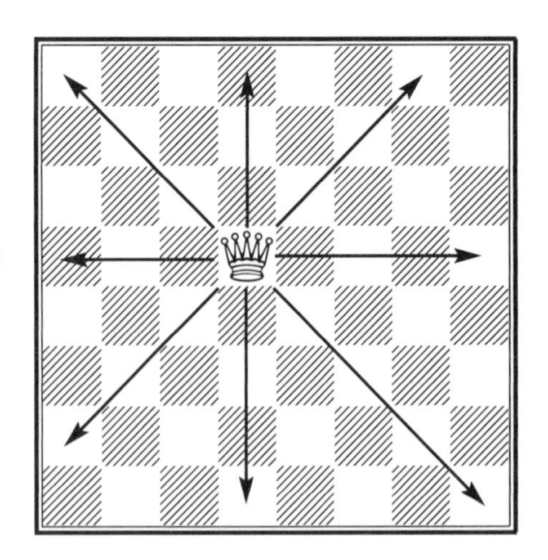

Le ROI : le majestueux

L'imposant roi – qui est d'ailleurs la plus grande pièce – se déplace lentement d'un petit pas à la fois, c'est-à-dire d'une case à la fois, dans toutes les directions. Il peut avancer, reculer ou se déplacer sur les côtés à condition que ce soit une case voisine de son placement initial. Le roi est une pièce spéciale. C'est la seule pièce qui ne peut être placée sur la trajectoire d'une pièce de l'adversaire. L'échiquier suivant montre un roi avec les déplacements qu'il peut effectuer. Notez bien que le fou empêche le roi d'aller sur la case indiquée par l'étoile «★».

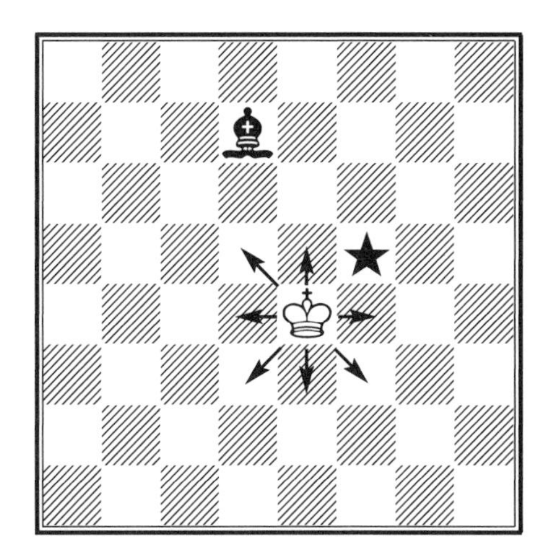

Le roi est si important que les autres pièces sont prêtes à tout pour le protéger, même au prix de leur vie ! Si nécessaire, les pions et les pièces doivent se sacrifier pour sauver leur roi.

Le CAVALIER : le joyeux sauteur

Attention ! Il faut maintenant être très attentif, car le déplacement du cavalier est plus difficile à apprendre ! Vous allez remarquer que le cavalier se déplace en formant un « L » imaginaire toujours de même longueur mais couché selon différentes orientations.

Boris :

— Le cavalier est ma pièce préférée ! C'est la pièce que je vais toujours déplacer.

Caïssa :

— Boris, il faut aimer toutes les pièces et tous les pions. Tu dois tous les utiliser et les aimer sans préférence pour bien jouer ! Maintenant, regardez ces « L » imaginaires. Le cavalier se déplace soit : 1) de deux cases de côté, puis une case vers le haut ou vers le bas ; 2) soit de deux cases vers le haut ou vers le bas, puis une case de côté. Contrairement aux autres pièces, il peut franchir des cases occupées par des pièces ou des pions : il saute par-dessus ! Il attaque les pièces qui se trouvent au bout de son « L ».

Le «L» imaginaire: quelques exemples

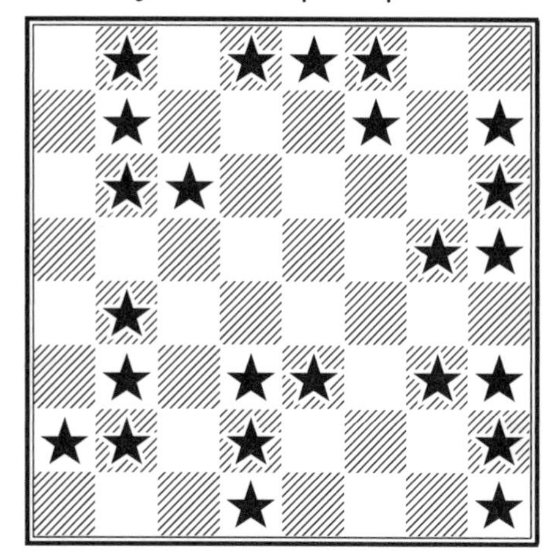

Voici une autre façon simple de représenter le déplacement du cavalier: il fait un pas en ligne (comme la tour) et un pas en diagonale (comme le fou) même si les cases où il passe sont occupées! La couleur de la case d'arrivée est différente de la case de départ. D'une case blanche, il saute sur une case noire. D'une case noire, il va sur une case blanche. Le cavalier peut aller sur toutes les cases marquées d'un «X».

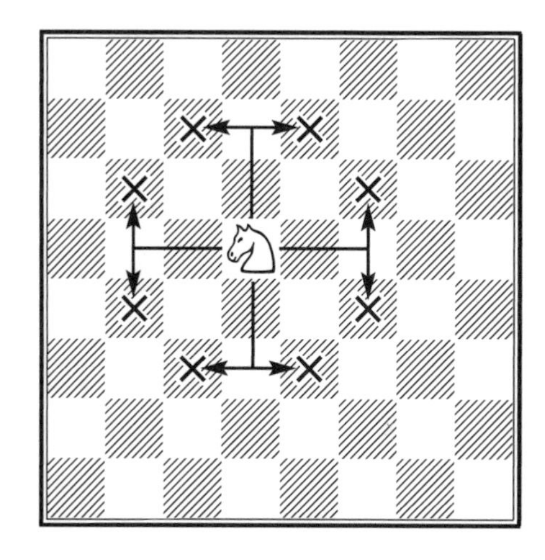

Le PION : « Marchons au pas, camarades, au pas, camarades, au pas, au pas, au pas ! »

Le pion est également très spécial. Il faut connaître les quatre caractéristiques importantes du pion :

1. Le pion ne peut jamais reculer.
2. Le pion avance, sur sa colonne, d'une case à la fois. Il ne peut avancer s'il y a un pion ou une pièce devant lui. Cas spécial : s'il est encore sur sa case de départ, le pion peut alors avancer d'une ou deux cases au choix. Le diagramme suivant indique à l'aide d'une flèche les cases où les pions blancs peuvent avancer.

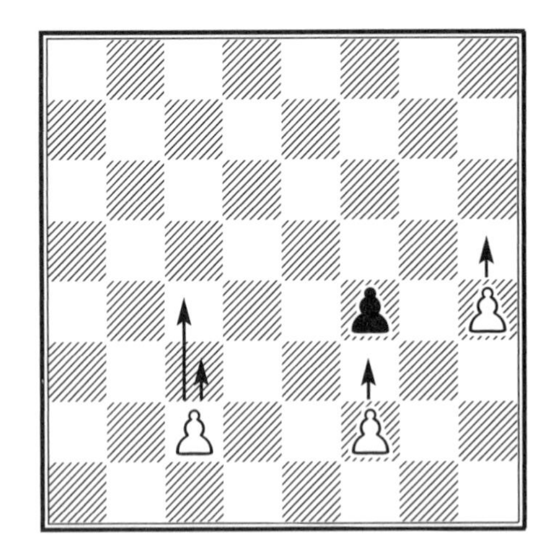

3. Contrairement aux pièces, le pion ne capture pas de la même manière qu'il se déplace. Le pion capture en diagonale comme le fou mais d'un petit pas seulement. Sur le diagramme suivant, les pions peuvent capturer la tour et le cavalier en avançant d'une case seulement tel qu'indiqué par les petites flèches.

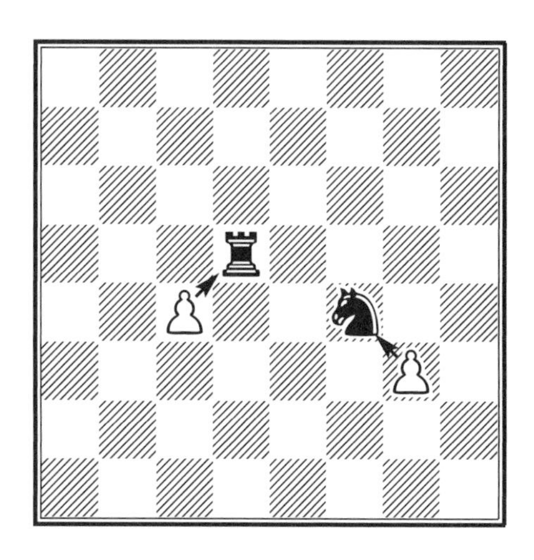

4. Le pion peut se transformer en pièce ! Eh oui ! Rendu sur la huitième rangée, le pion doit être immédiatement changé en une autre pièce de notre choix (sauf en roi) quelles que soient les autres pièces encore présentes sur l'échiquier. C'est la promotion du pion. On peut donc avoir deux dames, trois tours, trois cavaliers, etc. De nombreux obstacles rendent toutefois difficile la traversée de l'échiquier par un petit pion. C'est comme traverser la rue au feu rouge ! Un joueur ressent donc beaucoup de fierté lorsqu'il réussit à promouvoir un de ses pions !

La promotion du pion en dame

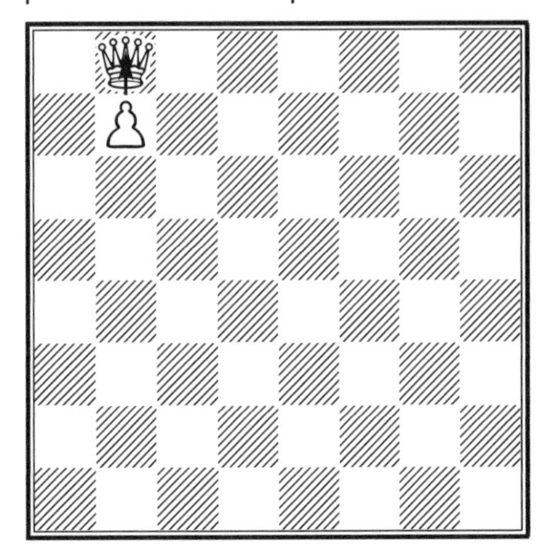

Après la promotion en dame

Les pions sont très importants. Il faut les avancer pour ouvrir des chemins aux fous, aux tours et aux dames.

Boris :

— Je veux jouer immédiatement ! Mes doigts veulent bouger ces pièces. Attendez-moi, je vais au grenier chercher le jeu que grand-papa nous a légué.

Sylvie :

— Excellente idée, Boris ! Mais pour débuter, il est préférable de faire des combats de pions afin de vérifier graduellement vos connaissances.

Sofia :

— Sylvie ! Tu sais jouer aux échecs ?

Sylvie :

— Le jeu des rois ! Oui, j'ai appris à y jouer au collège. J'ai même participé au tournoi intercollégial ! C'est l'heure de votre collation les enfants.

La gardienne prépare une collation et installe le jeu d'échecs rapporté par le rapide Boris sur la table.

Combat de pions

Les enfants jouent avec les pions uniquement. Le gagnant est celui qui réussit à avancer le plus de pions sur la dernière rangée. La partie se termine lorsque tous les pions d'un joueur sont bloqués ou arrivés sur la dernière rangée : on ne fait pas de promotion. Les meilleurs coups conduisent à la partie nulle. Ces combats montrent également des situations où avoir le trait (lorsque c'est à notre tour de jouer) est mauvais.

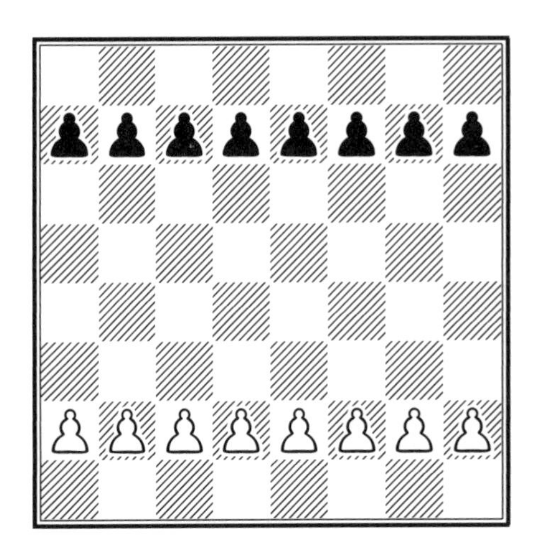

Règles importantes à mémoriser

- À l'exception du cavalier, aucune pièce ne peut franchir une case occupée par une autre pièce.
- Le pion est la seule pièce qui ne capture pas de la même façon qu'elle se déplace.

Valeur relative des pièces

Caïssa :

« Nous allons maintenant faire un peu de calcul. Eh oui, savoir calculer est très important aux échecs, comme dans de nombreuses activités quotidiennes. Les adversaires échangent les pièces d'échecs comme on échange des cartes de hockey ! Certaines pièces sont plus importantes que d'autres. Le pion a la plus petite valeur. Il va donc servir de valeur de référence. Le cavalier vaut trois pions. Drôle de coïncidence : le fou vaut également trois pions ! Regarde les égalités suivantes :

♙ = 1 pion
♘ = ♙ ♙ ♙ = 3 pions
♗ = ♙ ♙ ♙ = 3 pions
♘ = ♗ = 3 pions
♖ = ♙ ♙ ♙ ♙ ♙ = 5 pions
♖ = ♗ ♙♙ = 5 pions
♕ = ♙ ♙ ♙ ♙ ♙ ♙ ♙ ♙ ♙ = 9 pions
♕ = ♖ ♗ ♙ = 9 pions
♔ = ♖ ♗ ♙ ♕ ♕ ♕ ♕ ♕ ♕ ♕,... = INESTIMABLE!

« La tour vaut cinq pions. On peut aussi dire que la tour a la même valeur qu'un fou et deux pions ou un cavalier et deux pions. La dame vaut neuf pions, soit environ deux fous et un cavalier ou un peu moins que deux tours. Tu peux pratiquer les calculs élémentaires en combinant les différentes pièces et en comptant leur valeur totale !

« Un fou et un cavalier valent six pions, ce qui est un pion de plus qu'une tour : un fou et un cavalier sont donc plus forts qu'une tour. La valeur des pièces dépend du nombre de cases qu'elles contrôlent et du placement des autres pièces sur l'échiquier. Un pion ne peut attaquer qu'un maximum de deux cases à la fois (une case pour les pions qui sont devant les tours). Un cavalier peut contrôler un maximum de 8 cases, un fou contrôle 13 cases au maximum, la tour contrôle 14 cases au maximum alors que la dame peut contrôler jusqu'à 27 cases. Le roi contrôle un maximum de huit cases, mais sa valeur est trop grande pour être comparée aux autres pièces. Eh oui, la valeur du roi est inestimable puisque le mat met fin à la partie. »

Exercices

- Combien de pions sont attaqués par le cavalier ?

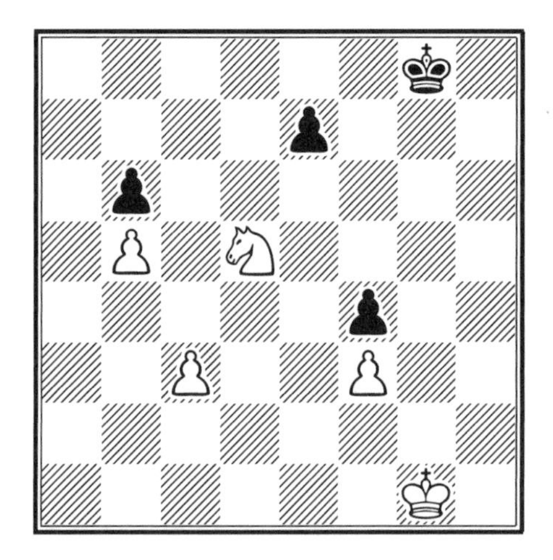

- Quelle est la valeur totale d'une tour, d'un cavalier et d'un fou en termes de pion ?

La tour ♖ = _____ pions
Le cavalier ♘ = _____ pions
Le fou ♗ = _____ pions

- Explique à ton papa, ou à ta maman, comment déplacer les pièces.

Chapitre 3

COMMENT ATTAQUER LE ROI

1) Comment faire échec

Boris :

— Moi, je préfère me batailler avec le roi de l'adversaire ! Et je veux gagner !

Caïssa :

— Tu es un fier compétiteur Boris ! Nous y arrivons, sois patient. La patience est d'ailleurs une des qualités qu'il faut avoir pour gagner aux échecs. Il faut bien placer les pièces avant d'attaquer. Je vais maintenant vous montrer comment attaquer le roi ennemi et donc comment faire *échec.* Je vous conseille d'utiliser votre jeu d'échecs et de reproduire les positions que je montre. Ainsi, vous pourrez rejouer les coups et mieux comprendre !

Prenez la position suivante :

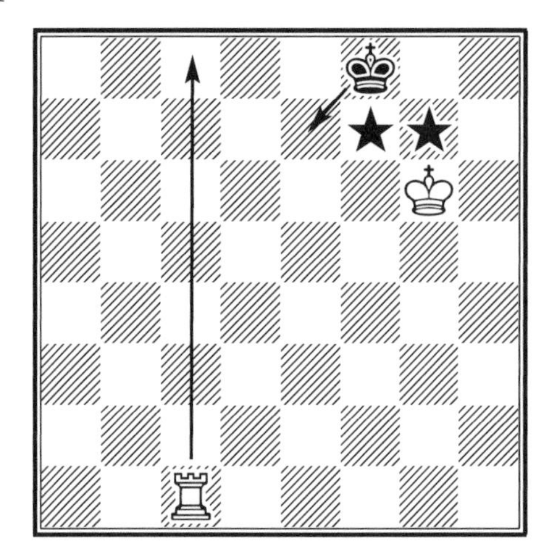

C'est aux blancs à jouer. Déplaçons la tour sur la colonne jusqu'au bout, tout en haut, comme indiqué par la flèche. La tour attaque alors le roi noir puisqu'il se trouve sur sa rangée et qu'il n'y a pas de pièce entre les deux. Cette attaque sur le roi se nomme « échec ». On doit préférablement l'annoncer en disant « échec » à voix haute pour indiquer à l'adversaire qu'on attaque son roi et qu'il doit obligatoirement s'en échapper.

Heureusement, le roi noir dispose d'une case de fuite, celle où pointe la flèche. Par contre, il ne peut pas fuir sur les autres cases, indiquées avec une étoile devant le roi, puisqu'il se mettrait alors en échec lui-même sous l'attaque du roi blanc ! Les deux rois ne peuvent jamais se toucher ! Le roi blanc garde un œil sur les cases autour de lui. Avec son épée, il empêche son adversaire le roi noir de s'approcher sur une case voisine !

Lorsque le roi est en échec, on peut le défendre de trois façons :

1. déplacer le roi afin qu'il fuie l'échec comme on vient de voir au diagramme précédent ;
2. capturer la pièce qui fait échec (regarde l'échiquier suivant, le fou peut capturer la tour) ;

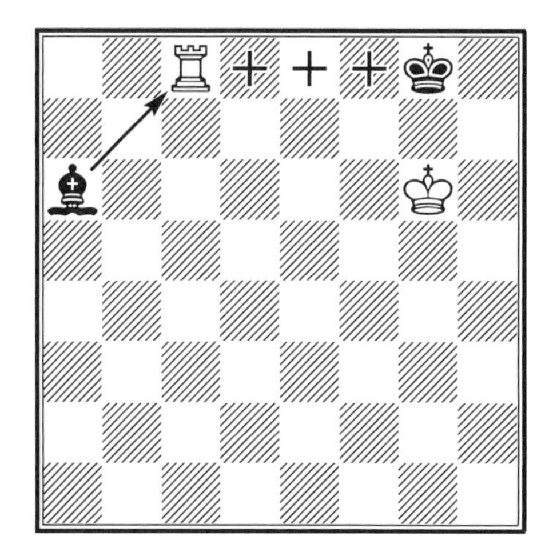

3. bloquer l'échec en interposant une pièce (sur l'échiquier suivant, la tour peut bloquer l'échec en reculant d'une case).

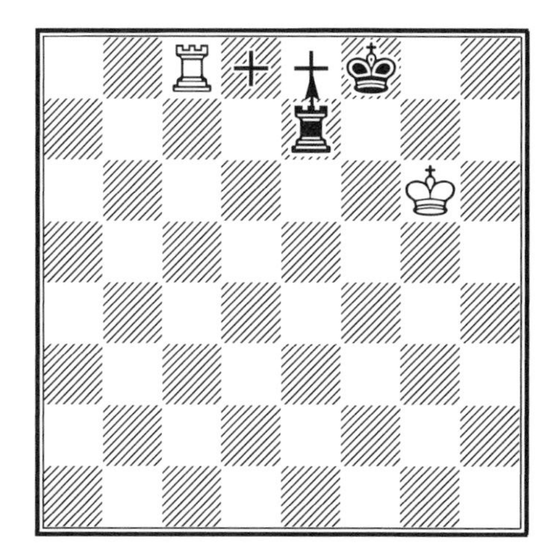

Règles à mémoriser

- Les deux rois ne peuvent jamais occuper des cases voisines.
- On ne peut jamais laisser notre roi en échec.

Boris :

— C'est facile ! Est-ce qu'on peut jouer maintenant ?

Sylvie :

— Nous allons vérifier vos connaissances avec deux problèmes faciles. Boris, avant de jouer, il te reste encore l'échec et mat à apprendre. Laissez-moi réfléchir un peu. Ça y est, regardez cette position. Boris, tu joues avec les pièces blanches. Essaye de trouver un coup qui fait échec. Indique le coup avec une flèche.

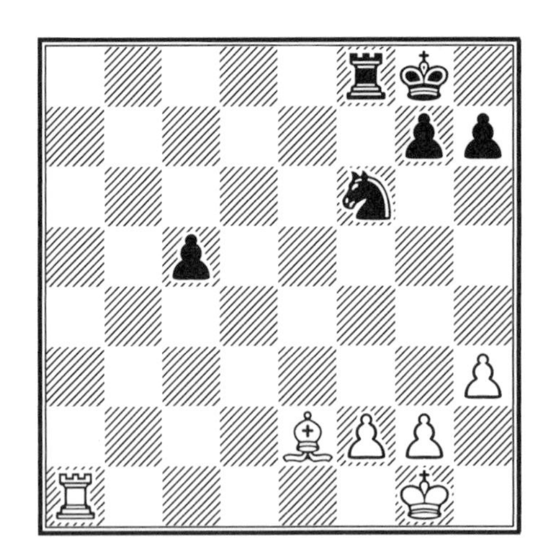

Sofia, tu joues avec les pièces blanches. Tu dois maintenant fuir l'échec montré avec la flèche. Montre ton coup en traçant une flèche.

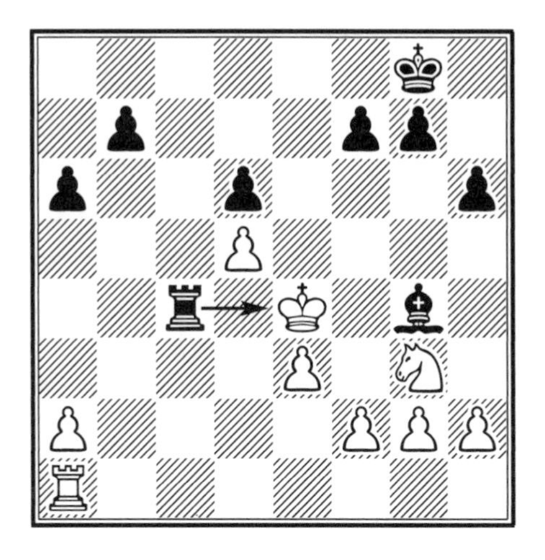

2) Comment faire échec et mat

Caïssa :

— Nous voici au fameux échec et mat ! Il y a échec et mat lorsque le roi est en échec et qu'aucune des trois façons de le sauver (fuir, capturer l'attaquant ou interposer une pièce) ne marche. Le joueur dont le roi est échec et mat perd la partie ! Souvenez-vous, les enfants : le but du jeu est de mater le roi de l'adversaire. Il y a d'autres façons de gagner la partie : lorsque l'adversaire abandonne ou lorsqu'il dépasse la limite de temps permis – il faut alors utiliser un chronomètre d'échecs.

LE CHRONOMÈTRE D'ÉCHECS

Pour empêcher qu'un joueur ne réfléchisse trop longtemps pour jouer ses coups — certains joueurs prendraient des heures comme le faisait autrefois Paulsen contre Morphy —, on utilise un chronomètre spécial.

Le chronomètre permet de contrôler le temps de réflexion de chacun des joueurs. Les adversaires disposent donc chacun d'un délai (mesuré en heures, minutes et secondes) pour jouer leurs coups. Après son coup, le joueur actionne le chronomètre de son adversaire. Un joueur qui écoule tout son temps perd la partie. Diverses cadences, c'est-à-dire le nombre de coups à jouer pendant le temps alloué, sont utilisées dans les tournois et les matchs. Le « blitz » correspond à la cadence rapide qui consiste à jouer tous les coups de la partie en cinq minutes ! Actuellement, la cadence de 90 minutes avec incrémentation de 30 secondes par coup — le joueur gagne 30 secondes lorsqu'il complète son coup — est très populaire dans les tournois.

Voyons maintenant la position suivante.

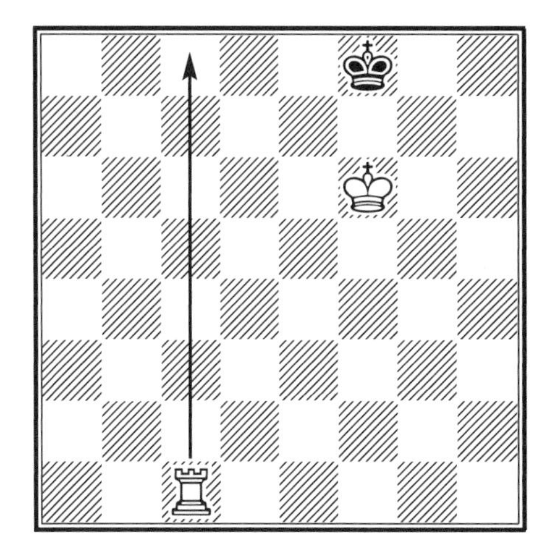

Les rois sont aussi rapprochés qu'ils le peuvent : n'oublie pas qu'ils doivent toujours être séparés par au moins une case. De plus, ils sont face à face. En jouant la tour au bout de la colonne, comme le montre la flèche, les blancs mettent le roi noir en échec.

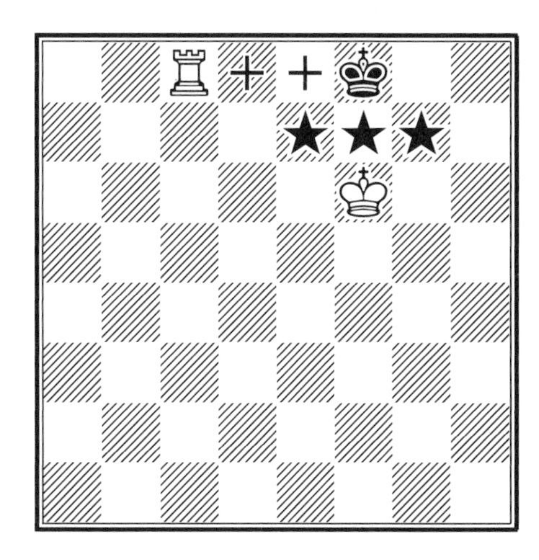

Le roi peut-il échapper à l'échec ? Il ne peut se déplacer sur la dernière rangée, car il serait toujours sous l'échec de la tour. Il ne peut entrer dans le périmètre du roi blanc en jouant sur les cases marquées avec une étoile : il faut toujours qu'il y ait au moins une case entre les deux rois. Le roi noir ne dispose donc d'aucune case pour fuir. De plus, les noirs ne peuvent capturer la tour attaquante ou bloquer l'échec. C'est échec et mat ! On peut aussi dire que le roi est mat. Échec et mat est d'origine perse. Cela signifie « le roi est mort ».

3) Quelques schémas de mat

Caïssa :

— Il faut savoir reconnaître les schémas de mat pour mieux les infliger à l'adversaire !

Sylvie :

— Je vais placer les pièces au fur et à mesure que Caïssa donne des explications.

Mat du couloir

Caïssa :

— Normalement, les pions permettent de protéger le roi. Il est important de mettre le roi en sécurité derrière une muraille de pions. Toutefois, cette muraille peut jouer de vilains tours. Il faut prendre garde au fameux mat du couloir ! Ce mat se produit lorsque le roi ne peut fuir l'échec sur la dernière rangée : c'est un couloir funeste pour le roi. C'est malheureux, n'est-ce pas ? Mais non, ce n'est qu'un jeu !

Avant

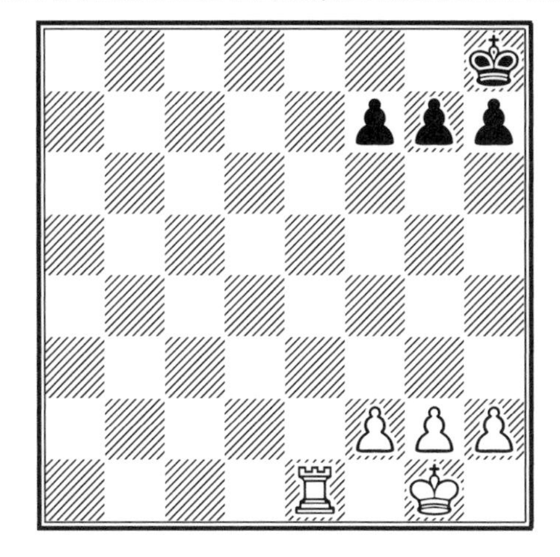

La tour blanche profite de la situation précaire du roi noir qui est coincé dans le fond d'un couloir, ses propres pions formant un mur infranchissable. La tour avance sur la colonne et fait échec sur la rangée du fond : le roi noir est mat !

Après : le roi noir est échec et mat !

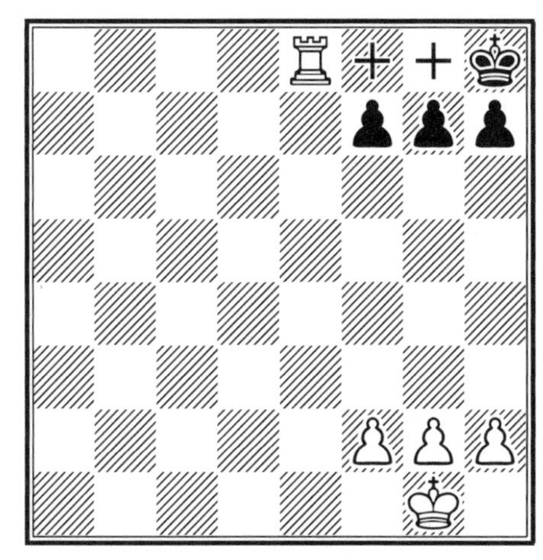

Ce mat survient sur la dernière rangée, avec une tour ou une dame. Afin de prévenir ce mat, les noirs auraient dû fabriquer une sortie de secours pour le roi. Cela se fait en avançant d'une case un des pions devant le roi, préférablement le pion sur la dernière colonne. Dans ce cas le roi pourrait fuir l'échec comme dans le diagramme suivant.

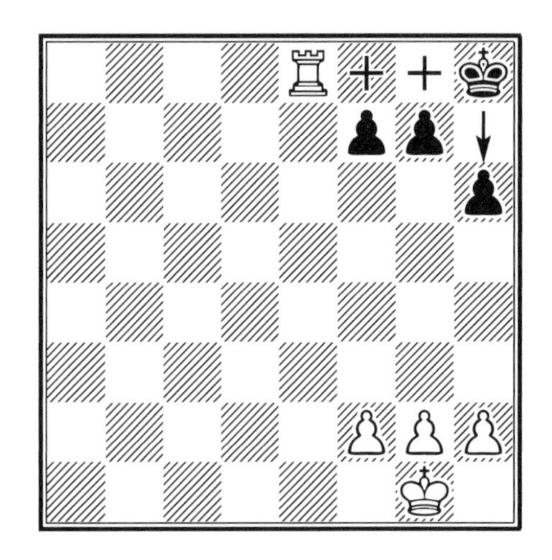

Le mat étouffé

Caïssa :

— Une autre situation bizarre peut survenir lorsque le roi n'est pas mobile. Dans le mat précédent, le roi était coincé par ses propres pions. Dans certaines situations où le roi est coincé par ses pions et ses pièces, un cavalier peut lui infliger un échec et mat : le roi meurt étouffé !

Sofia :

— C'est violent les échecs !

Caïssa :

— C'est vrai, mais virtuellement seulement ! De plus, il n'y a aucun risque de blessure à y jouer ! Et comme dirait le champion Bobby Fischer : « les échecs, c'est la vie ! »

Avant

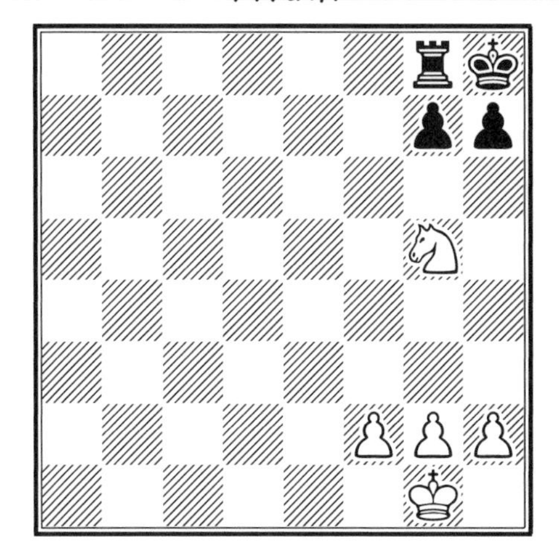

Sur l'échec du cavalier blanc, le roi est bloqué par la tour et les deux pions censés le protéger.

Après : le roi noir est échec et mat !

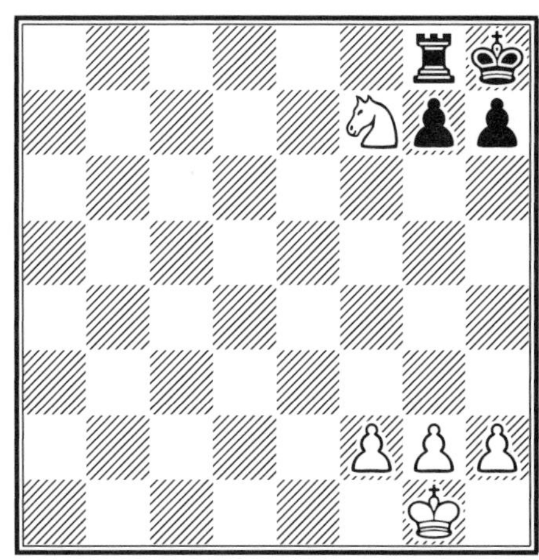

Boris :

— Vive les cavaliers ! Comme ils se déplacent bien.

Caïssa :

— Comme pour le mat du couloir, les noirs auraient dû créer une brèche pour permettre au roi de fuir en déplaçant la tour ou un des pions à côté du roi.

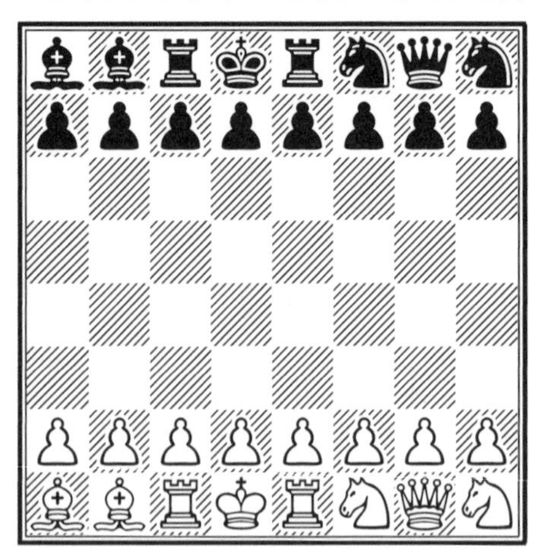

Robert James Fischer : surprendre et épuiser l'adversaire avec des coups imprévisibles

Né en 1943 à Brooklyn (États-Unis), celui qu'on surnomme affectueusement Bobby était un enfant prodige. Il joua « la partie du siècle » à 13 ans contre Donald Byrne. Il était déjà champion des États-Unis à 14 ans ! Fischer est le premier véritable professionnel du jeu d'échecs : jouer dans les tournois d'échecs était un travail pour lui ! Malheureusement pour ses admirateurs, Bobby Fischer n'a joué qu'un seul match d'échecs depuis 1972 ! Il a contribué grandement à populariser et à commercialiser le jeu d'échecs. Sa préparation et sa curiosité dans les ouvertures étaient incomparables parmi ses pairs. Sa volonté de gagner était inégalée, même avec les pièces noires ! Son style est universel et classique : il attaque sans affaiblir sa position en rassemblant ses pièces et en utilisant toutes les stratégies et tactiques connues ! Son jeu est caractérisé par la recherche de l'initiative et le recours à la défense active avec contre-attaque. Il ne rate pas les occasions qui se présentent ! Il est devenu champion du monde en 1972 après son fameux match contre Boris Spassky mettant ainsi fin à la domination soviétique. Il a inventé une variante du jeu d'échecs, « Random chess », pour éliminer l'importance de la préparation dans les ouvertures. Cette façon de jouer consiste à placer au hasard les pièces sur la première rangée. On peut alors avoir les deux fous sur des cases voisines comme sur le diagramme !

Le mat avec deux pièces lourdes

Les pièces lourdes, c'est-à-dire la dame et la tour, sont excellentes pour faire échec et mat. Voici quelques positions fréquentes de mat avec des pièces lourdes.

Mat avec dame et tour

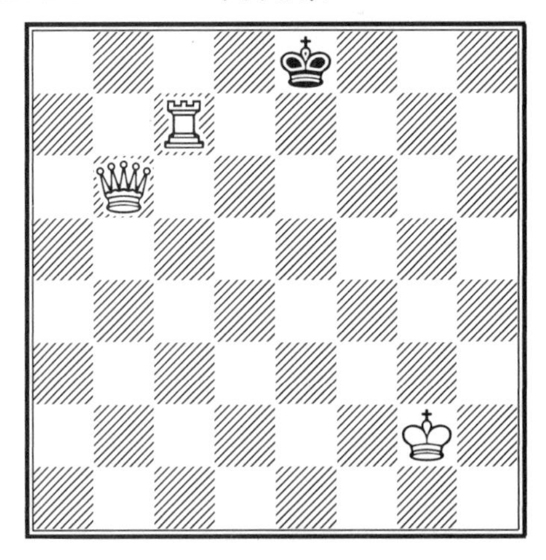

Après

Un autre exemple important de mat avec dame et tour.

Avant

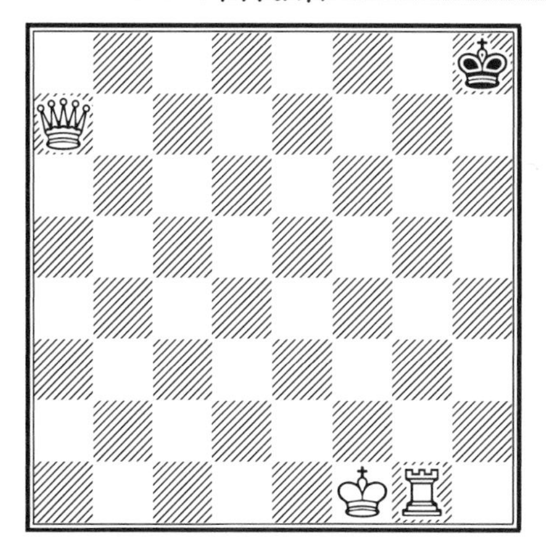

Après

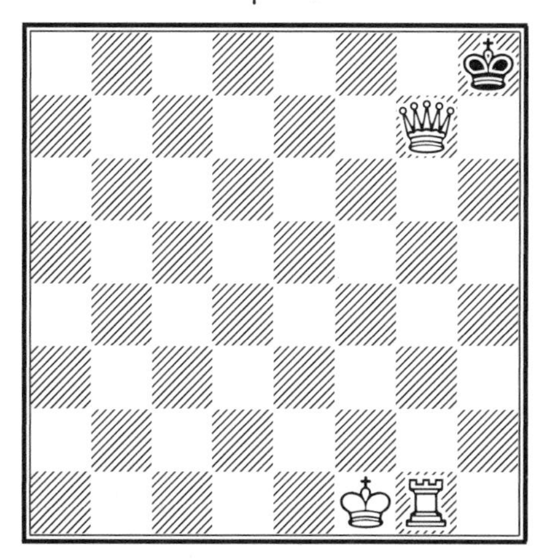

Mat avec deux tours

Avant

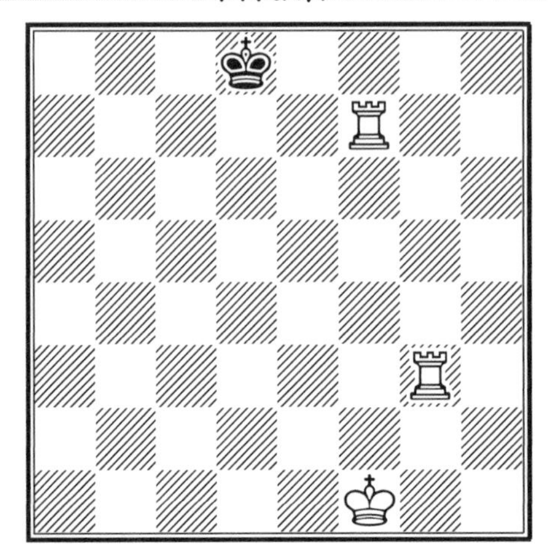

Après

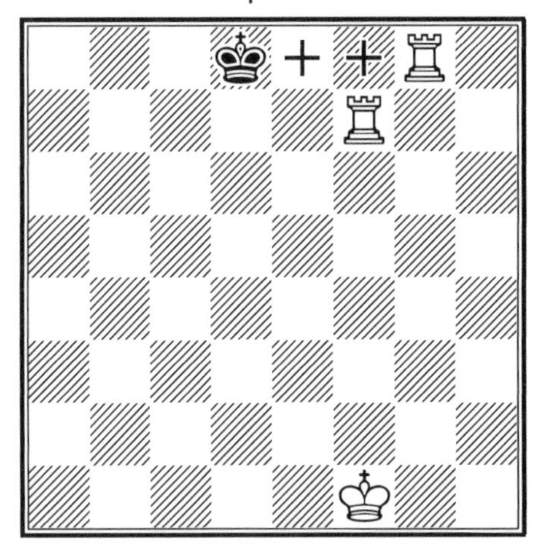

Mat avec un pion

Eh oui, même un pion peut infliger le mat ! Regardez cette avance du pion blanc. Échec et mat !

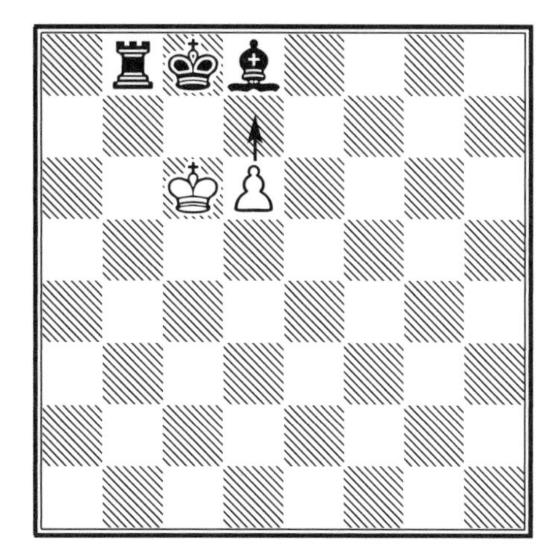

Nous avons vu qu'il y a toutes sortes de façons de faire mat. Toutes ont un point en commun : le roi attaqué est mal défendu par ses pièces et ses pions.

Exercices

Sylvie place les pièces et demande aux enfants de trouver la solution.

Sylvie :

— Vous avez les blancs. Vous devez trouver l'échec et mat. Montrez le coup avec une flèche.

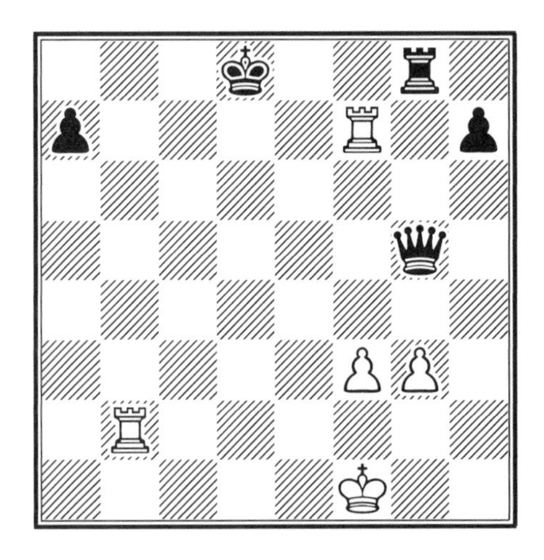

Sylvie :

— Voici un problème spécial. Mon professeur de mathématiques me l'a montré. Vous risquez cette fois de réfléchir pas mal longtemps ! Ce problème est difficile mais procure beaucoup de plaisir à ceux qui trouvent la solution.

— Vous avez les blancs, trouvez le seul coup qui ne fasse pas échec et mat en un coup ! Prenez garde : le but est de ne pas mater !•

• Problème composé par K. Fabel (Gardner, Martin, *My Best Mathematical and Logic Puzzles*, New York, Dover, 1997, 96 pages).

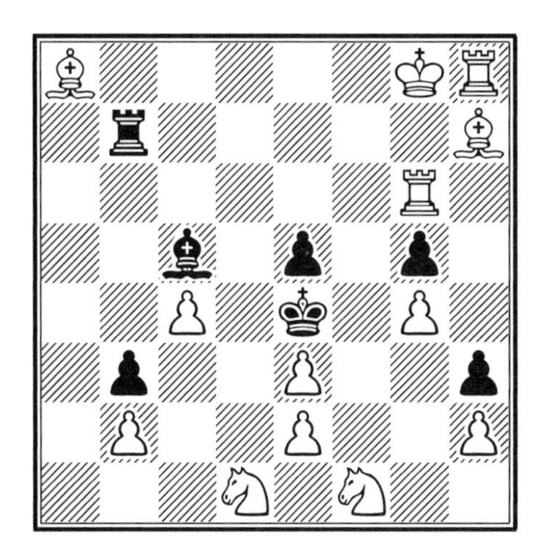

Indice : il faut jouer une tour blanche !

La solution du problème de la page précédente :

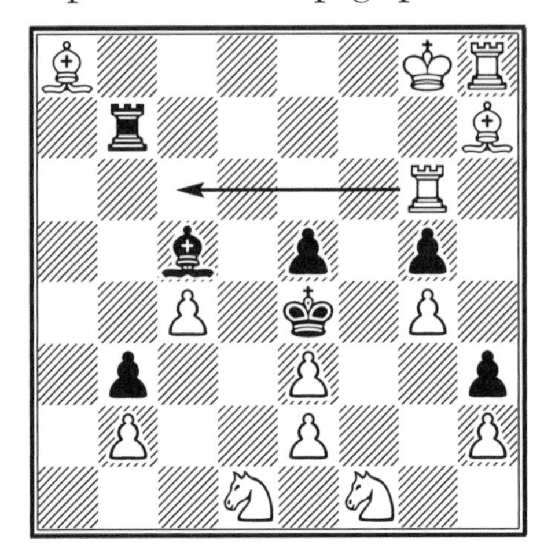

Chapitre 4

LES RÈGLES PARTICULIÈRES

Caïssa :

— Vous êtes maintenant mûrs pour connaître les règles les plus bizarres des échecs ! Vous pourrez roquer, faire la prise en passant et comprendre la nulle par le pat.

Boris :

— C'est rock'n roll ! Je veux roquer, faire des passes et mettre en échec ! Vous êtes certaine, déesse Caïssa, que c'est le jeu d'échecs, cela ressemble étrangement au hockey.

Caïssa :

— Ces règles sont logiques et permettent d'enrichir les possibilités défensives du jeu d'échecs. Commençons par le roque.

Le roque : deux pour un

Le roque est un coup très spécial qui permet de déplacer deux pièces, le roi et une tour, en un seul coup ! On fait le roque en déplaçant le roi, à partir de sa case initiale, de deux cases vers l'une des tours sur sa rangée. Avec les blancs, il faut faire comme ceci :

Avant

Pendant le coup : le roi blanc se déplace de deux cases vers la tour.

Pendant

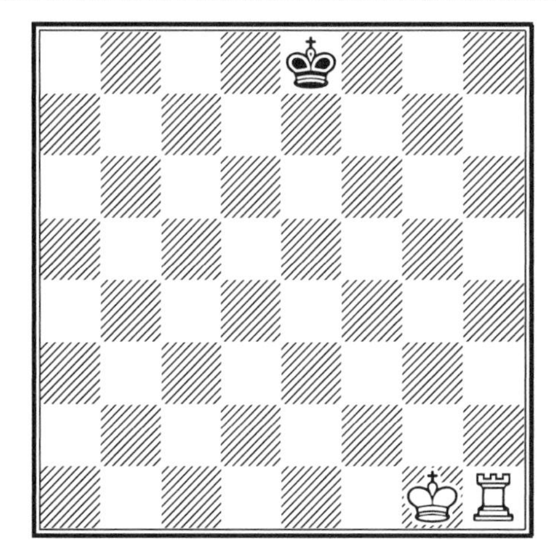

Ce n'est pas encore terminé ! Il faut aussi jouer la tour en la faisant sauter par-dessus le roi sur la case voisine qu'il vient de franchir.

Après le roque

Regarde le roque, il est maintenant terminé. Le roque du côté droit est appelé « le petit roque ». Ce roque est petit parce qu'il n'y a que deux cases entre le roi et la tour.

On peut aussi faire le roque du côté gauche tel qu'illustré sur l'échiquier suivant. On nomme ce coup le «grand roque»: le roi saute deux cases vers la tour, la tour saute trois cases et se place à droite du roi.

Avant

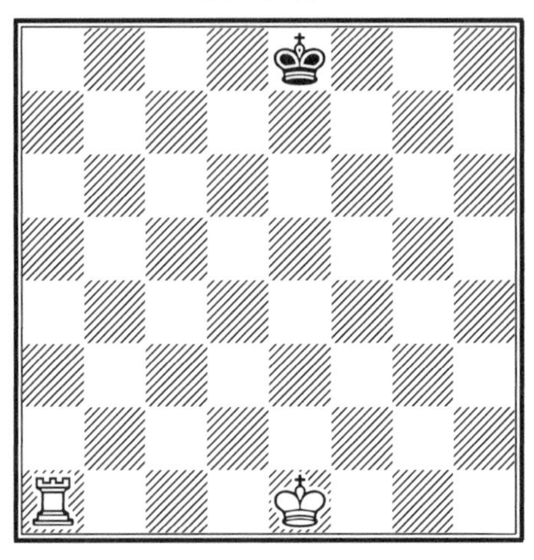

Après

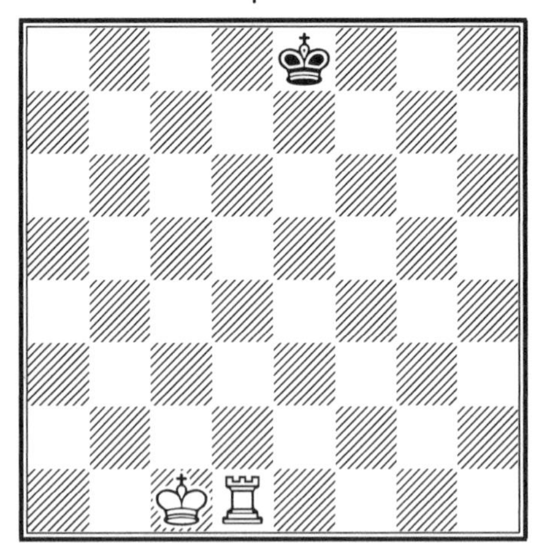

On dit qu'il est grand parce que la distance entre le roi et la tour est de trois cases.

Petit roque : deux cases entre le roi et la tour

Grand roque : trois cases entre le roi et la tour

Le but du roque est de faire d'une pierre, deux coups ! Eh oui, le roque permet de placer le roi à l'abri dans le coin et de développer une tour pour la lancer dans la mêlée.

La prise en passant : saisir au passage

Les pions peuvent faire un coup spécial que je me suis bien gardée de vous expliquer jusqu'à maintenant.

Sophie :

— Les déesses sont des cachottières !

Caïssa :

— La prise « en passant » est intimement liée à l'avance du pion de deux pas. Au début du jeu d'échecs, dans sa version indienne appelée chaturanga, les pions n'avançaient que d'une case à la fois : un petit pas en avant. Au moyen âge, les règles ont été modifiées pour accélérer le jeu. L'avance de deux cases en un coup à partir de la case initiale fut donc introduite. Mais comment capturer le pion, alors ? On a donc permis à un pion attaquant de capturer le pion de l'adversaire qui avance de deux cases en un coup comme s'il n'avait avancé que d'une case. Ce droit de capturer est perdu si le joueur fait un autre coup, c'est pourquoi on dit que c'est la prise « en passant ». Trop compliqué ? Regardez le diagramme, vous allez comprendre.

Avant le coup des blancs. Il y a deux choix pour jouer le pion : l'avancer d'une case en ligne droite ou, puisque le pion est encore sur sa case de départ, de deux cases en avant.

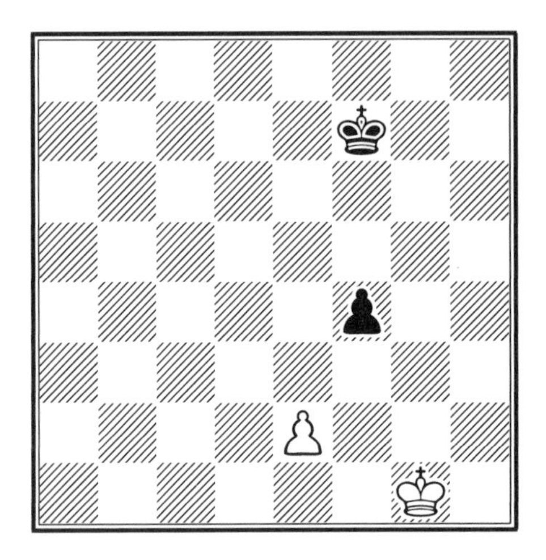

Après l'avance d'une case du pion, on observe que les noirs peuvent le capturer en diagonale avec leur propre pion.

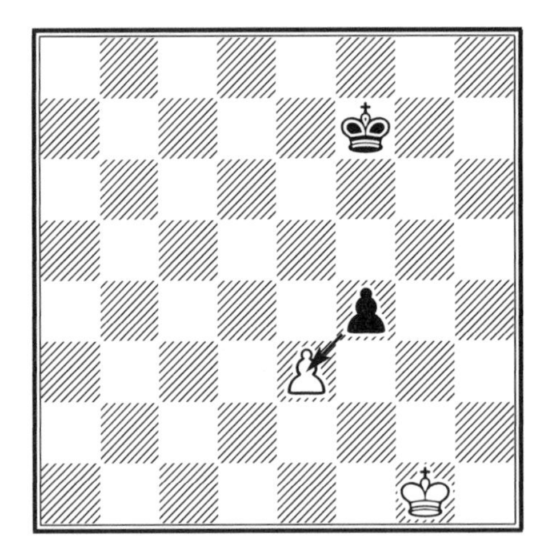

Si les blancs choisissent d'avancer leur pion de deux pas comme sur le diagramme suivant, les noirs peuvent le capturer immédiatement « en passant » comme s'il n'avait avancé que d'un pas en avant ! Il ne faut pas oublier de retirer le pion capturé du jeu. De plus, cette prise est facultative : elle n'est pas obligatoire. Le joueur peut donc jouer un autre coup s'il le désire.

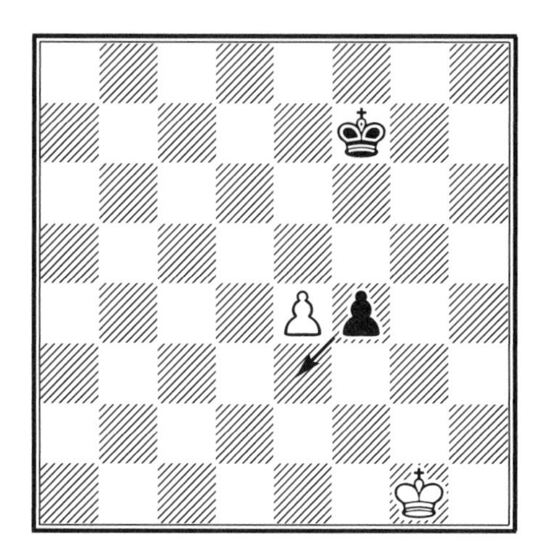

Le pat : ni vainqueur ni vaincu

Que se passe-t-il si le joueur au trait (c'est à son tour de jouer) ne peut pas effectuer de coup légal et que son roi n'est pas en échec ? Une telle situation est reproduite sur l'échiquier suivant :

C'est au tour des blancs de jouer

Aucun coup n'est possible ! Dans ce cas, le roi est « pat » et la partie est immédiatement terminée. On dit alors que la partie est nulle par le pat. La partie est nulle lorsqu'il n'y a pas de gagnant ni de perdant !

Autres cas de partie nulle

Insuffisance de matériel: il y a trop peu de pièces pour faire échec et mat. L'exemple le plus simple est le cas des rois seuls, sans aucune autre pièce. Voici d'autres cas de nulle par insuffisance de matériel: roi et fou contre roi; roi et cavalier contre roi; roi et deux cavaliers contre roi.

Commun accord: pendant la partie, un joueur fait une offre à l'adversaire pour déclarer la partie nulle et celui-ci accepte. C'est le cas de partie nulle qu'on rencontre le plus souvent. La partie continue si l'adversaire refuse l'offre de nulle. L'offre doit être communiquée immédiatement après avoir joué son coup. Une offre typique: «Partie nulle?».

Triple répétition de la position: un joueur peut réclamer la partie nulle lorsque la même position se présente pour la troisième fois. Il faut faire la demande immédiatement avant d'effectuer le coup qui reproduit la même position pour une troisième fois.

Échec perpétuel: situation où un joueur fait toujours échec sans pouvoir faire mat.

Règle des 50 coups: un joueur en infériorité, par exemple avec un roi contre roi et tour, peut demander la partie nulle si l'adversaire ne réussit pas à le mater en 50 coups ou moins. Le décompte de coup recommence à zéro s'il y a capture de pièce ou si un pion est joué.

Chapitre 5

COMMENT LIRE UNE PARTIE D'ÉCHECS GRÂCE À LA NOTATION

Il est maintenant grand temps d'apprendre à lire une partie d'échecs. En effet, comme pour les notes de musique, on peut rejouer les coups des parties d'échecs. Les cases sont exprimées avec des lettres et des chiffres, les coordonnées algébriques, comme pour le jeu « Touché-coulé ».

On utilise des symboles représentant les cases, pièces, déplacements, captures et résultats de la partie. Une lettre désigne une colonne (verticale), alors qu'un chiffre représente une rangée (horizontale). Les cases sont représentées par l'intersection des colonnes et rangées de l'échiquier et donc par une lettre et par un chiffre. Dans le diagramme suivant, le roi blanc est sur la case « e6 ». Les pièces sont représentées en majuscule par la première lettre de leur nom. Ainsi le cavalier est désigné par l'abréviation « C ». Par exemple, le coup 1.Cg1-f3 se dit : « au premier coup, les blancs déplacent leur cavalier de la case g1 à la case f3 ».

La notation comprend donc les éléments suivants :

1. Le numéro du coup suivi d'un point (trois points s'il s'agit d'un coup des noirs non précédé d'un coup des blancs).
2. L'abréviation de la pièce qui est jouée (aucune dans le cas d'un pion).
3. La case de départ.
4. Le symbole du déplacement (facultatif) ou de la capture :
   - Pour le déplacement : le tiret « - ».
   - Pour une capture : la lettre « x ».
5. La case d'arrivée.
6. Le symbole de l'action (le « + » pour l'échec est le plus fréquent) et/ou de l'appréciation du coup (facultatif).
7. La notation apparaît en caractère gras, pour différencier les coups joués des coups possibles dans une partie.

Le mat est désigné avec le symbole « # ». Le coup des noirs doit suivre celui des blancs à sa droite. Dans le diagramme, les blancs ont joué le coup 45.Ce4xd6# : le cavalier de la case e4 capture la pièce en d6 en faisant échec et mat.

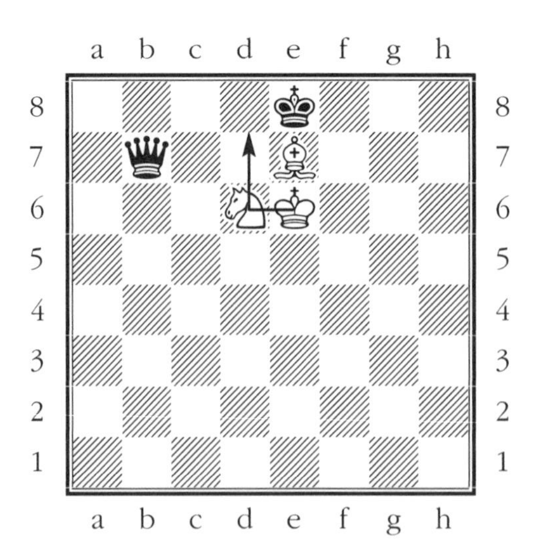

SYMBOLES UTILISÉS AUX ÉCHECS

Description de la pièce ou de l'action	Symbole
Roi	R
Dame	D
Tour	T
Fou	F
Cavalier	C
Pion	
Déplacement	- (facultatif)
Capture	x
Prise en passant	e.p.
Promotion	: D (si promotion en dame)
Petit roque (du côté du roi)	0-0
Grand roque (du côté de la dame)	0-0-0
Échec	+
Échec et mat	#
Bon coup	!
Excellent coup	!!
Mauvais coup	?
Gaffe	??
Coup intéressant mais risqué	!?
Coup douteux	?!
Les blancs abandonnent	0-1
Les noirs abandonnent	1-0
Partie nulle (pas de gagnant, pas de perdant!)	½-½

Boris :

— Je veux jouer une partie maintenant. Qui veut m'affronter ?

Sylvie :

— Tu ne connais pas encore toutes les astuces. Sois un peu plus patient, Boris !

Boris :

— Mais non ! Prends les blancs et pousse un pion !

Sylvie :

— Bon, si tu y tiens tant :

1.e2-e4 e7-e5

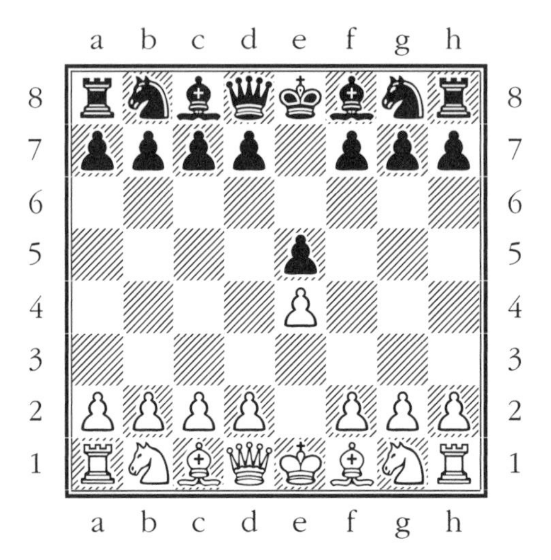

2.Ff1-c4 Cb8-c6

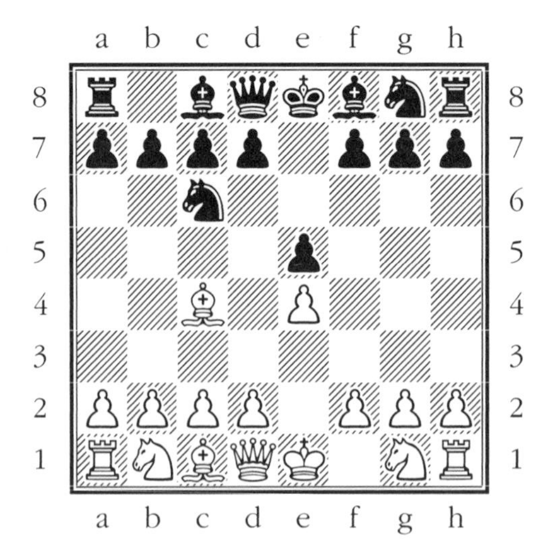

3.Dd1-h5 Cg8-f6

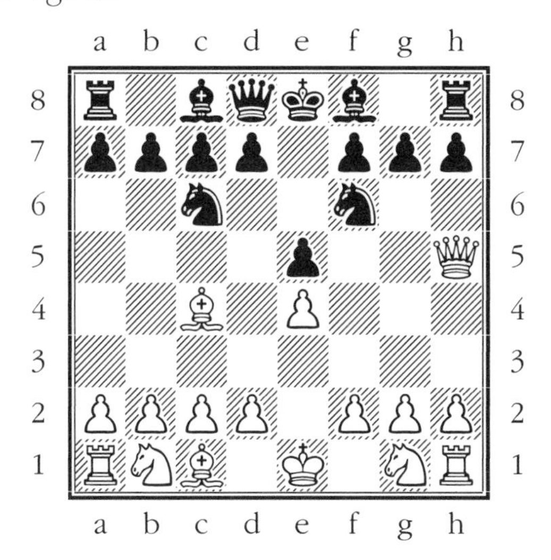

4.Dh5xf7 — «échec et mat!».

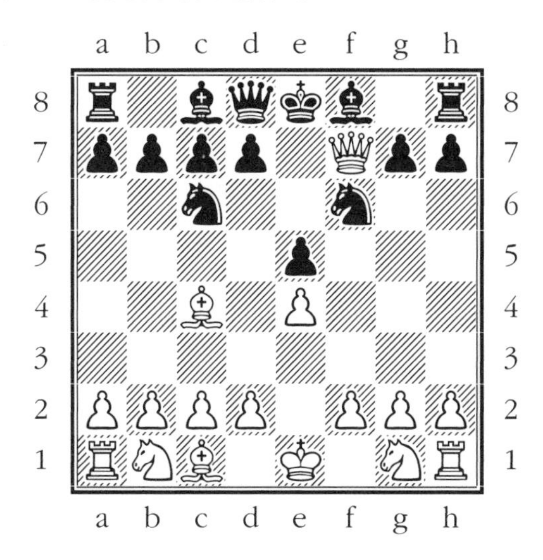

Sofia :

— Déjà terminé ! Wow, tu es bonne Sylvie !

Sylvie :

— Cette façon de mater a un nom : le mat du berger.

Boris :

— Tu m'as tendu un piège ! Attends que j'apprenne à mater comme le berger moi aussi !

Sylvie :

— Je suis allée à la pêche et tu as mordu à l'hameçon ! Pour l'instant écoute les instructions de Caïssa. Après, je vais te montrer comment te défendre contre le mat du berger.

Sofia :

— Maintenant Boris, écoute si tu veux apprendre !

Boris :

— D'accord, mais la prochaine fois je vais copier tes coups et tu ne pourras plus gagner !

Sylvie :

— Ah oui ! Allez, on recommence !

1.c2-c4 c7-c5

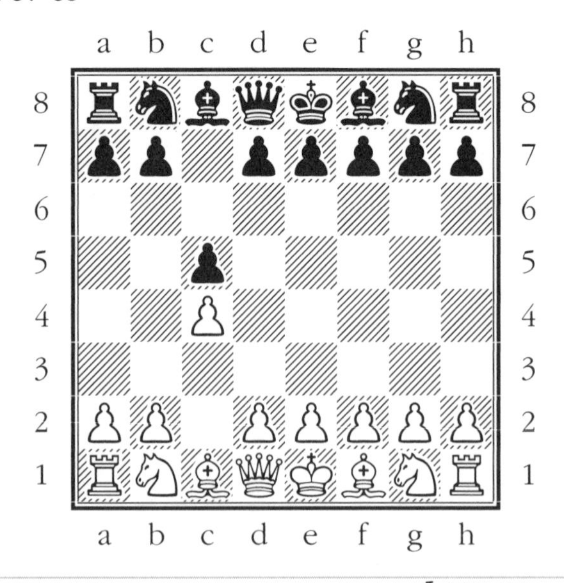

2.Dd1-a4 Dd8-a5 ?

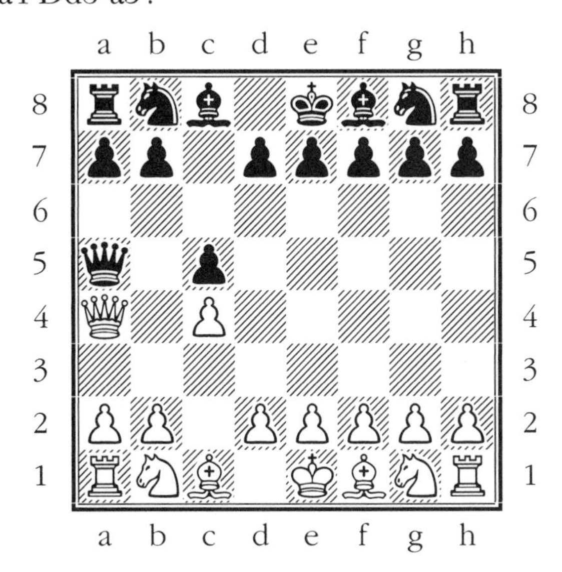

3.Da4-c6 ? Da5-c3 ?

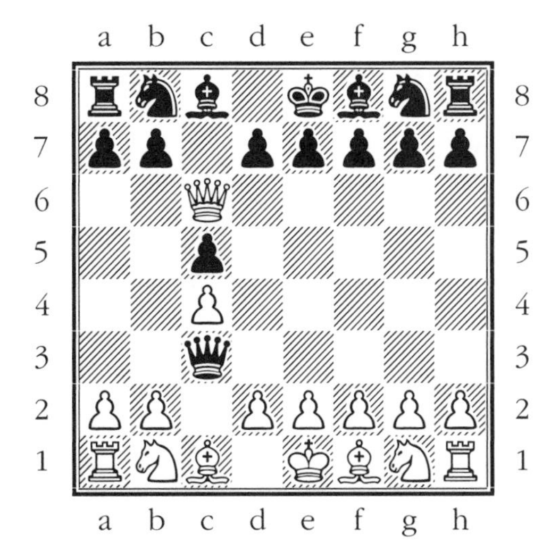

4.Dc6xc8# — « échec et mat ! ». Tu vois Boris, copier les coups de l'adversaire est une tactique dangereuse à utiliser avec modération. En cas d'échec, tu ne pourras plus poursuivre ton petit jeu du perroquet ! Je ne veux pas être méchante, mais deux fois, tu aurais pu capturer ma dame ! Regarde les diagrammes et trouve les coups qui gagnent la dame blanche.

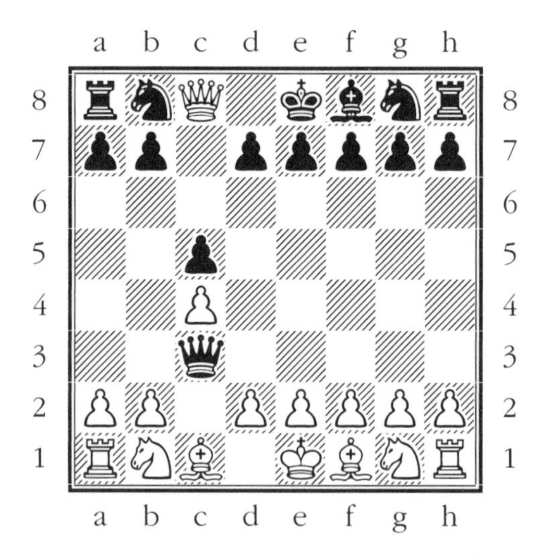

Boris :

— Tu es vraiment trop forte aux échecs Sylvie !

Sylvie :

— Tu as une grande qualité : la bravoure. J'en connais un peu sur les échecs, mais ce n'est rien comparé à M. Kastapov, un Russe récemment immigré dans notre pays. D'ailleurs, il vient tout juste d'ouvrir un club d'échecs. On peut y affronter de forts joueurs d'échecs et suivre des cours avec M. Kastapov. Justement, le journal local annonce que M. Kastapov affrontera simultanément 24 joueurs !

Sofia :

— J'aimerais bien voir ça ! Peut-être pourrions-nous y assister ?

Sylvie :

— Attendez-moi, je vais chercher le journal pour avoir toutes les informations.

Boris :

— Maman l'a mis au recyclage dans le bac bleu.

Sylvie :

— C'est bien de ne pas gaspiller les ressources ! C'est pareil aux échecs : il ne faut pas gaspiller les pions, mais plutôt les garder pour la finale et ensuite les recycler en dames ! Il faut également faire du développement durable : sans affaiblir la structure de pions. Bon, j'y vais !

Sofia :

— Profitons-en pour croquer une pomme avant de poursuivre notre découverte du merveilleux monde des échecs !

Caïssa :

— Boris n'a pas peur de perdre : c'est une qualité importante pour progresser. La peur empêche certains joueurs de choisir un coup. Mais quand tu parviens à surmonter ta peur, tu peux progresser. Si tu ne sais pas quoi jouer, pose-toi la question suivante : « Que ferais-tu si tu n'avais pas peur ? » D'ailleurs, tu dois jouer contre des adversaires d'un niveau un peu supérieur au tien pour mieux progresser. Un adversaire plus fort te fait découvrir de nouvelles stratégies et tactiques comme l'a démontré Sylvie en t'infligeant le mat du berger !

Sylvie :

— M. Kastapov va jouer samedi au centre culturel. Nous y serons !

— Maintenant, regardez comment vous défendre contre le mat du berger. Un drôle de nom aux origines inconnues. Cet exemple de défense précise montre pourquoi il vaut mieux s'abstenir d'essayer de provoquer le mat du berger.

1.e2-e4 e7-e5 2.Ff1-c4 Cb8-c6 ! Développe une pièce en respectant la règle « sortir les cavaliers avant les fous » et protège le pion e5.

3.Dd1-h5 La fameuse attaque de mat du berger sur la case f7. La menace est 4.Dxf7 échec et mat !

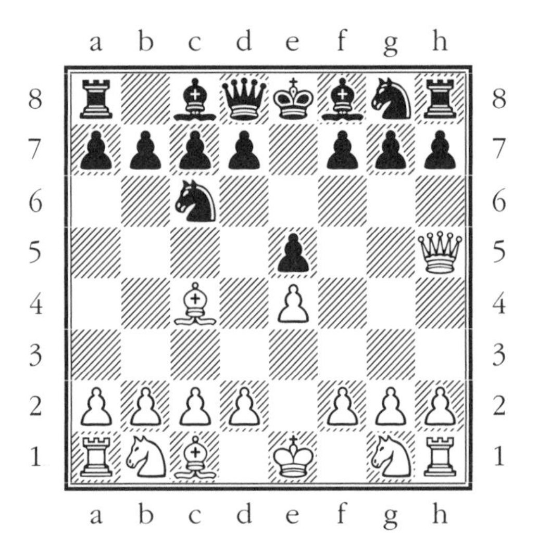

3…g7-g6 Maintenant que le pion e5 est protégé, les noirs se défendent en contre-attaquant la dame. **4.Dh5-f3 Cg8-f6 !** Poursuis encore le développement tout en empêchant le mat du berger en bloquant l'attaque de la dame sur la case f7.

Trait aux blancs

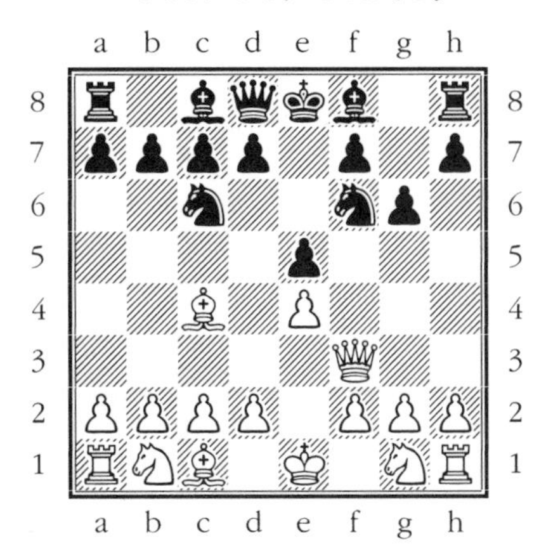

5.Cg1-e2 Les noirs menaçaient 5...Cc6-d4 avec des menaces de fourchette en c2 et sur la dame. **5... d7-d6 6.h2-h3** Encore un coup défensif pour empêcher... Fc8-g4. Ce coup permet aussi l'attaque futile avec g2-g4-g5 afin de dévier le cavalier placé à f6.**6... Ff8-g7.g-2-g4 0-0** Regardez la position: les noirs ont l'avantage, car le roi blanc est affaibli par l'avance des pions g et h. De plus, la dame blanche est mal placée et exposée à l'attaque des pièces adverses.

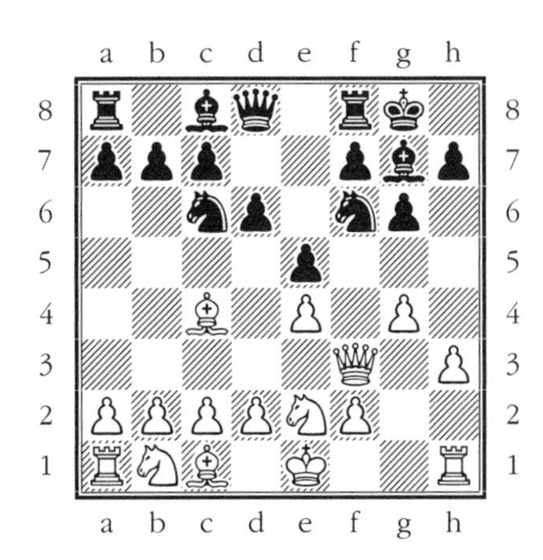

Problèmes

Utilise la notation pour écrire le coup indiqué par la flèche sur le diagramme suivant. Réponse : ____________________

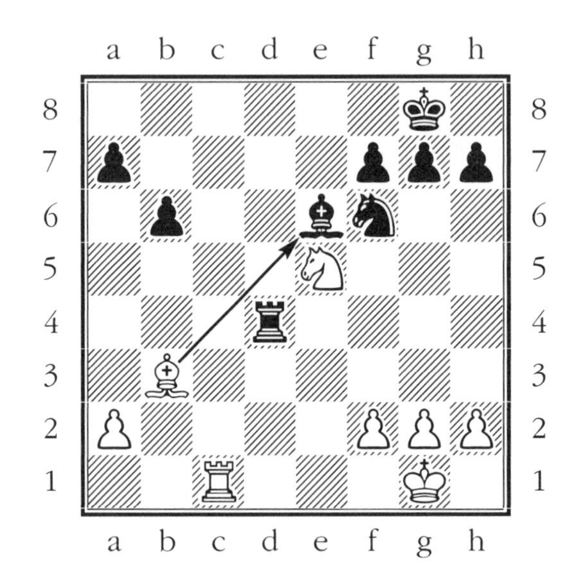

Écris les symboles échiquéens appropriés :

Grand roque : __________

Mauvais coup : __________

Échec et mat : __________

Prise « en passant » : __________

Au 7e coup, le cavalier f6 des noirs capture le pion blanc en d5 : ______________________

Chapitre 6

LES TROIS PHASES D'UNE PARTIE COMPLÈTE

Caïssa :

— Une partie complète est constituée de trois phases distinctes : le début, le milieu et la fin. Pour gagner, il faut savoir jouer toutes les phases du jeu. Toutefois, la fin de partie est particulièrement importante pour un débutant. L'apprentissage idéal consiste à étudier les échecs dans l'ordre suivant : la fin, le milieu et le début de partie !

Sofia :

— Explique-nous Caïssa, nous serons très attentifs.

Boris :

— C'est vrai, je suis tout ouïe moi aussi !

La fin de partie : méthodes typiques de gain

Caïssa :

— La fin de partie, on dit aussi « la finale », est l'étape du jeu cruciale car la fin est proche ! Les possibilités de mat ou de promotions sont importantes. De plus, avoir un avantage matériel est beaucoup plus considérable en finale. Les pions et les tours prennent du prestige en finale : c'est pourquoi il faut les conserver précieusement pour la fin ! L'étude des finales permet également de bien comprendre les qualités, et les défauts, de chacune des pièces. Nous allons maintenant étudier quelques finales instructives et fréquentes pour vous faire la main.

Finale roi, dame et tour contre roi

Caïssa :

— Dans cette finale sans pions, je vous montre la méthode de mat rapide que vous pouvez utiliser également dans les finales avec plus de matériel. La méthode est simple mais importante : il est impossible de mater sans la connaître, sauf si on est très chanceux !

La puissance combinée de la dame et de la tour ne nécessite pas l'utilisation du roi pour mater. Pour mater, il faut pousser le roi au bord de l'échiquier. Voyons comment :

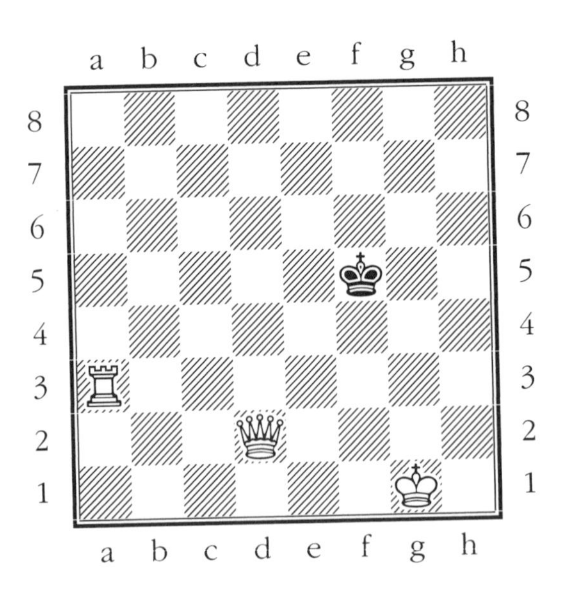

Le coup important est 1.Dd2-b4 ! C'est le coup clé qui bloque la route du roi noir. Notez que le coup ne donne pas l'échec. Il faut bloquer le roi avant de le refouler au bord de l'échiquier à l'aide d'échecs alternés par la dame et la tour. Après 1… Rf5-e5 (le roi noir se tient loin de la bande !) 2.Ta3-a5+ Re5-e6 (il faut maintenant reculer !)

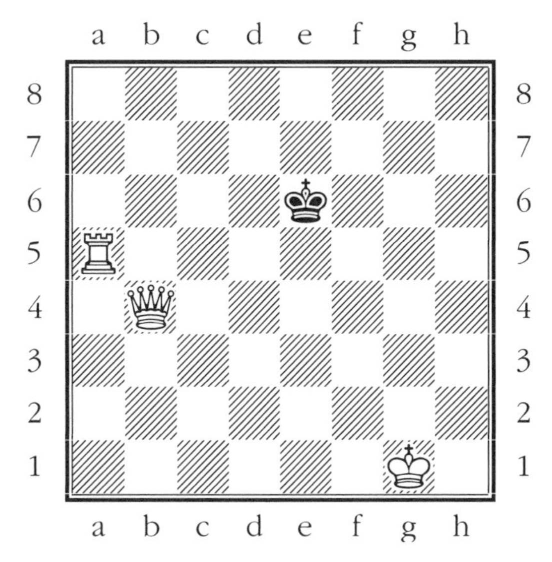

3.Db4-b6+ Re6-d7

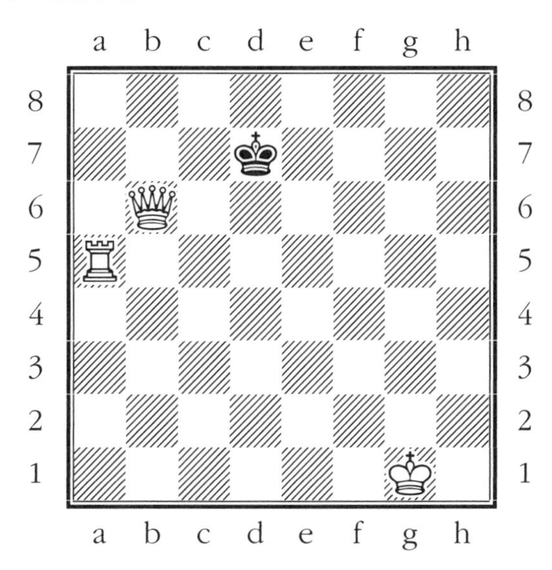

4.Ta5-a7 + Rd7-e8 (ou 4… Rd7-c8 5.Db6-c7#) 5.Db6-b8#.

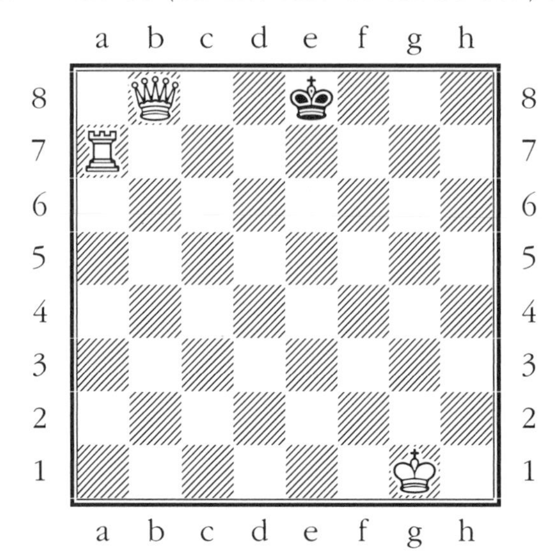

Finale roi et tour contre roi

Dans cette finale, la tour et le roi doivent collaborer pour réussir à mater. En finale, le roi est une pièce très puissante : il faut souvent l'utiliser pour gagner ou éviter la défaite.

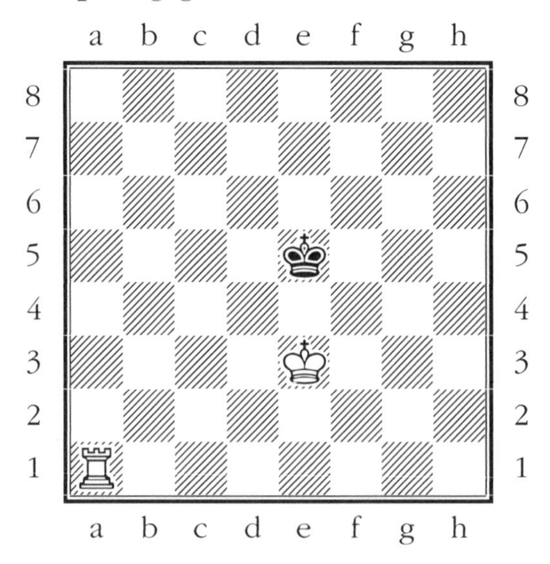

Encore une fois, il est primordial de bloquer et faire reculer le roi sur la bande de l'échiquier. Ici, les deux rois se font face par opposition et sont donc bloqués. Les blancs peuvent ainsi refouler le roi noir grâce à 1.Ta1-a5 + Re5-e6 2.Re3-d4! (il ne faut pas placer le roi directement devant) Re6-d6 (on retrouve l'opposition) 3.Ta5-a6 + Rd6-c7.

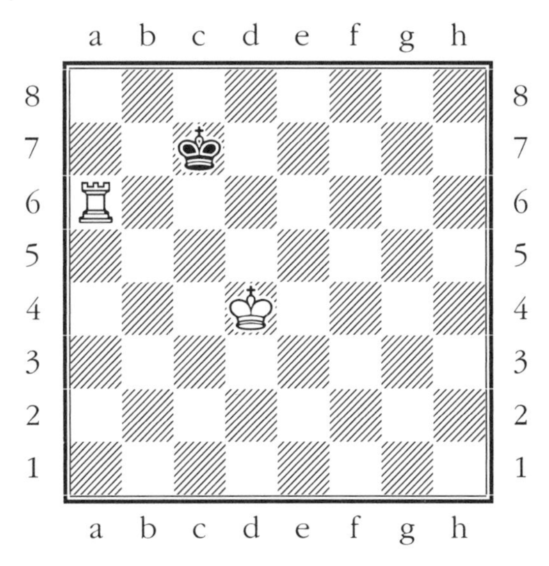

4. Rd4-d5 Rc7-d7 (reste loin du coin) 5.Ta6-a7 + Rd7-e8 (Notre premier objectif est atteint: le roi est au bord de l'échiquier.) 6.Rd5-d6 Re8-f8 (Forcé, sinon c'est mat en un.) 7.Rd6-Re6 (Le roi s'approche inexorablement…) 7… Rf8-g8 8.Re6-f6 Rg8-h8 (Oups, le roi est coincé.)

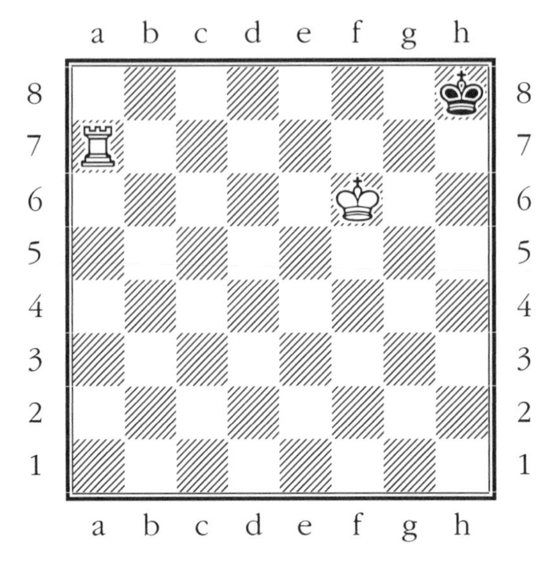

9.Rf6-g6 Rh8-g8 (C'est facile maintenant…) 10.Ta7-a8#.

Finale de roi et deux tours contre roi et dame

Voici une position tirée d'une belle étude de H. Lommer qui démontre l'extraordinaire force de collaboration des tours.

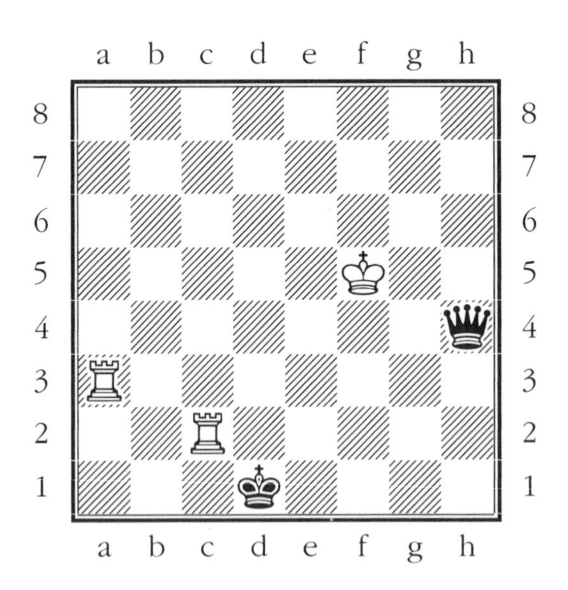

1.Tc2-h2! (menace de mater avec le coup 2.Ta3-a1) Dh4-d4 (tente de contrôler l'importante case a1 et menace de faire échec au roi, si 1. ... Dh4xh2 2. Ta3-a1t Rd1-d2 3.Ta1-a2+ 3. ... Rd2-e3 4. Ta2xh2) 2.Ta3-a1 + (quand même!) Dd4xa1 (les noirs n'ont pas le choix).

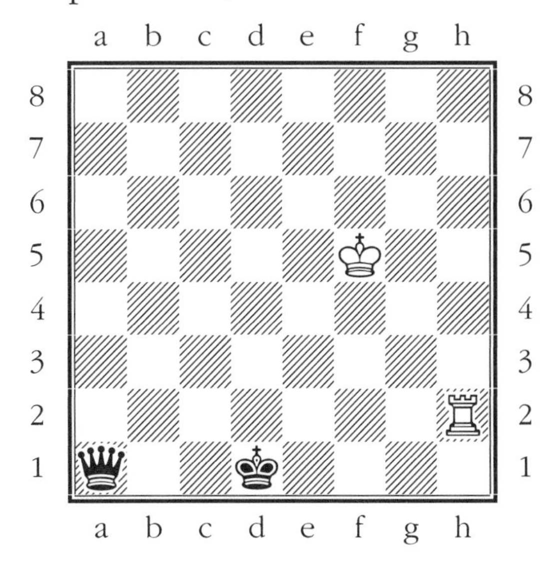

3.Th2-h1 + ! Une enfilade qui permet de gagner la dame et la partie. Après 3... Rd1-d2 4.Th1xa1, les blancs n'ont qu'à mater avec la méthode montrée précédemment (voir Finale avec roi et tour contre roi).

Le milieu de partie

Caïssa:

— La stratégie correspond aux techniques et plans pour atteindre les objectifs. Trois stratégies différentes sont possibles: l'attaque, le jeu de position et la défense. Ainsi, la stratégie répond à la question: Que faut-il faire?

La tactique répond plutôt à la question: Comment faut-il le faire? Le joueur a le choix de plusieurs manœuvres gagnantes que je vous explique bientôt : fourchette, clouage, déviation, attaque à la découverte, élimination, etc. La tactique correspond donc à la transformation d'un avantage obtenu par la stratégie. Une combinaison est une suite de coups tactiques forcés qui débute souvent par un sacrifice. Les combinaisons représentent la magie aux échecs : c'est surprenant et spectaculaire !

La menace réelle et la menace potentielle

La menace réelle consiste à attaquer une pièce non défendue de l'adversaire. Si l'adversaire ne fait rien pour contrer cette menace, l'attaquant pourra capturer la pièce. La menace potentielle consiste à attaquer une pièce déjà défendue. Cette menace est également importante, car elle force l'adversaire à protéger sa pièce pour ne pas la perdre. De plus, cela l'empêche d'attaquer : il doit se défendre.

Exemple d'une menace réelle : la tour menace le fou qui n'est pas protégé.

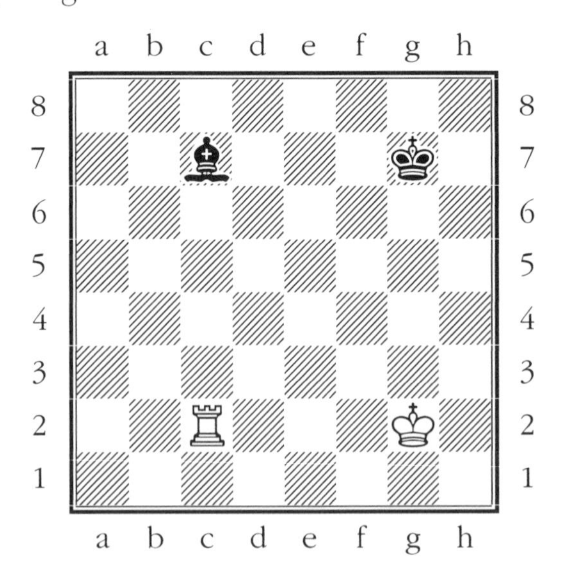

Exemple d'une menace potentielle : la tour menace le fou qui est protégé.

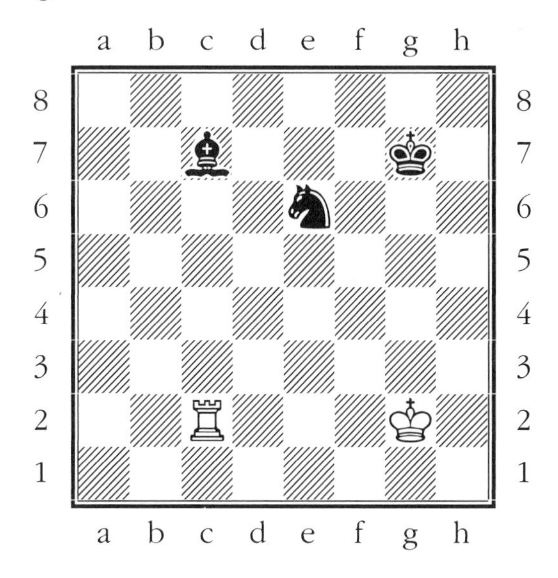

Nombre d'attaquants et de défenseurs

Pour mater ou gagner du matériel, il est très important de savoir compter le nombre d'attaquants et de défenseurs sur une cible (pièce ou case). Pour atteindre l'objectif, le mat ou le gain matériel, il faut que le nombre d'attaquants soit supérieur au nombre de défenseurs. Regardez l'exemple de la page suivante :

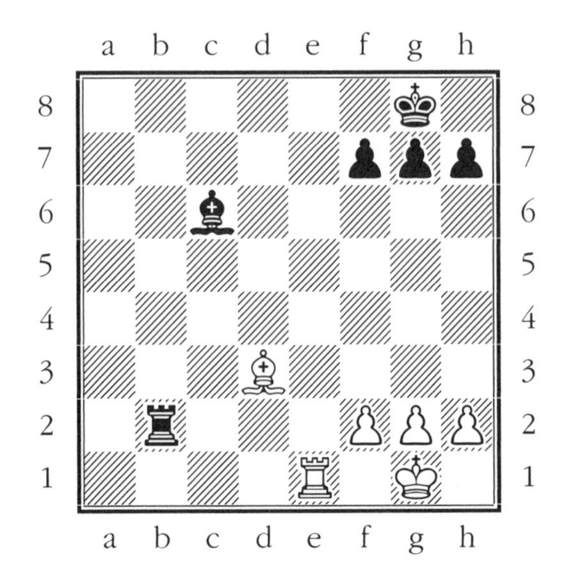

La tour blanche attaque la case e8 une fois. Les noirs contrôlent la même case avec le fou en c6. Il y a donc égalité entre le nombre d'attaquants et de défenseurs : un attaquant contre un défenseur. La tour ne peut pas mater en e8, car elle serait capturée. Voyons ce qui arrive si on ajoute une deuxième tour aux blancs sur la case e3 comme dans le diagramme suivant :

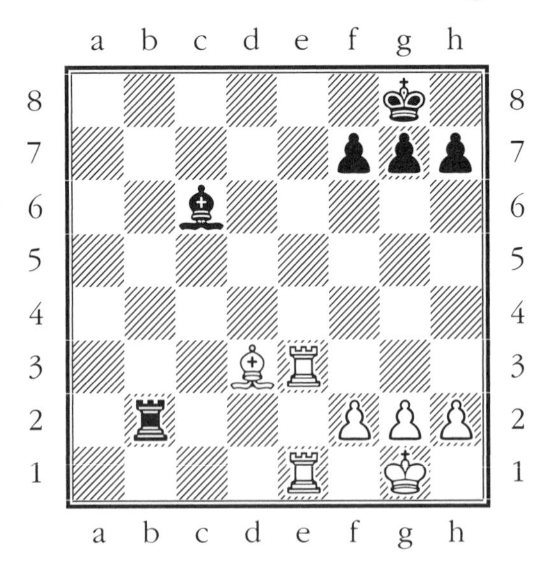

Les blancs attaquent la case e8 avec deux unités : les tours e1 et e3. Les noirs défendent la case e8 avec une unité : le fou c6. Le résultat est donc de 2 contre 1 à l'avantage des blancs et ils peuvent mater avec les coups 1.Te3-e8 + Fc6xe8 2.Te1xe8 échec et mat !

Quelques manœuvres tactiques

La fourchette

La fourchette survient lorsqu'une pièce ou un pion attaque deux ou plusieurs unités en même temps. Voici un exemple de fourchette : le pion blanc attaque deux pièces en même temps : la tour et le cavalier.

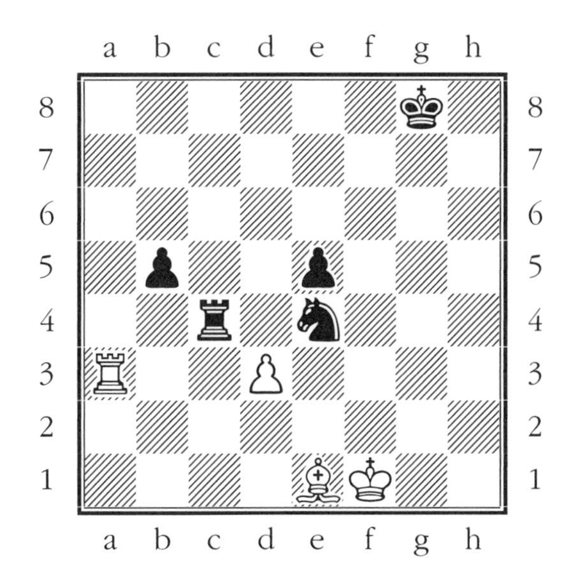

Le camp attaqué est dans une situation embarrassante puisque, qu'importe ce qu'il joue, il y aura toujours une de ses pièces qui sera prise au coup suivant. La fourchette du cavalier est la plus fréquente en raison de son déplacement spécial. En effet, le cavalier possède une caractéristique unique : il peut attaquer toute autre pièce sans que celle-ci l'attaque en même temps. Un cas particulier est la fourchette familiale où le cavalier attaque simultanément la dame, la tour et le roi, avec des gains substantiels ! Regarde la belle fourchette familiale !

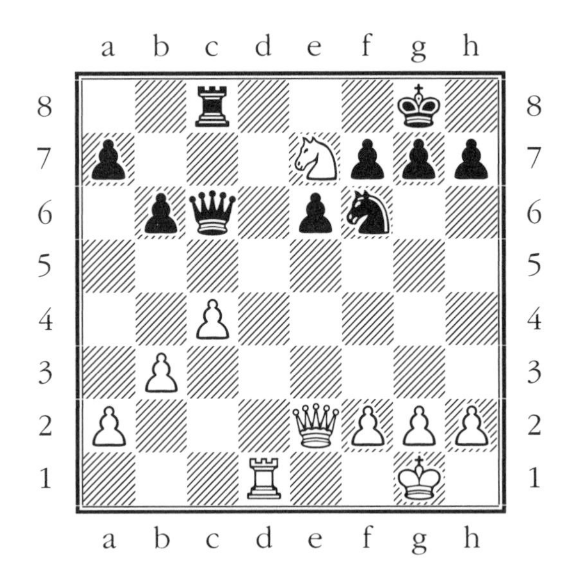

Le clouage

Le clouage consiste à empêcher une pièce adverse de jouer. Ce type d'attaque se réalise sur une ligne (colonne, rangée ou diagonale) lorsque la pièce attaquée ne peut être déplacée sans occasionner une perte de matériel ou le mat. Cette pièce clouée, qui sert ainsi de bouclier, est donc de peu d'utilité pour la défense.

Le clouage est relatif lorsque la pièce visée (derrière la pièce clouée) est autre que le roi, mais de plus grande valeur que la pièce clouée et que la pièce qui attaque. Le clouage est absolu lorsque la pièce visée est le roi. Dans ce cas, la pièce clouée ne peut quitter sa ligne parce que le roi serait alors en échec, ce qui est contre les règles du jeu. Dans cette position, les blancs jouent leur fou en c3 et gagnent la tour. La tour ne peut fuir, car le roi serait en échec. C'est donc un clouage absolu et les blancs pourront capturer la tour au coup suivant.

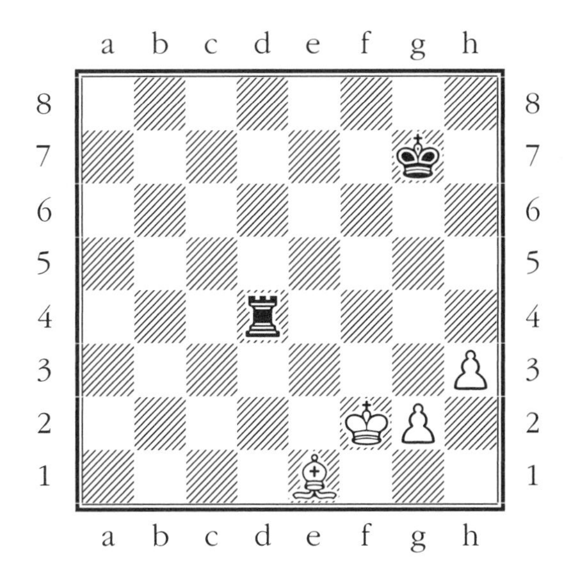

Lorsque notre adversaire a une pièce clouée, il faut tenter d'exploiter cette situation en attaquant cette pièce jusqu'à ce qu'elle ne soit plus défendue autant de fois qu'elle n'est attaquée. Il ne restera alors qu'à la cueillir. Voici une situation où il ne reste plus qu'à attaquer la pièce clouée pour la capturer au coup suivant ! Le coup gagnant est 1.Re5-e6.

Trait aux blancs

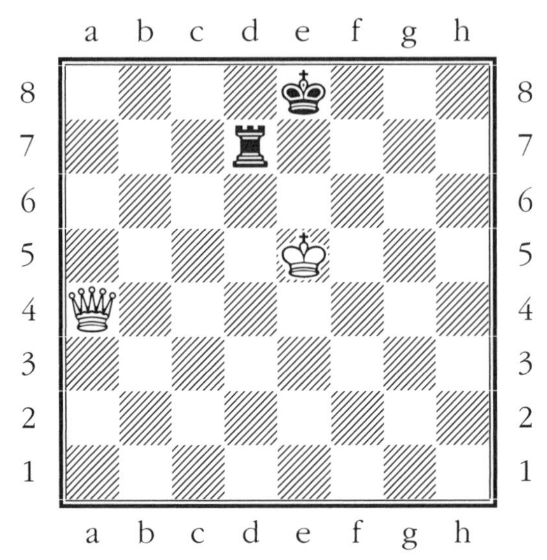

La déviation

Ce moyen tactique sert à éloigner un pion ou une pièce ennemi pour favoriser l'attaque. Sur l'échiquier suivant, le roi noir défend sa dame.

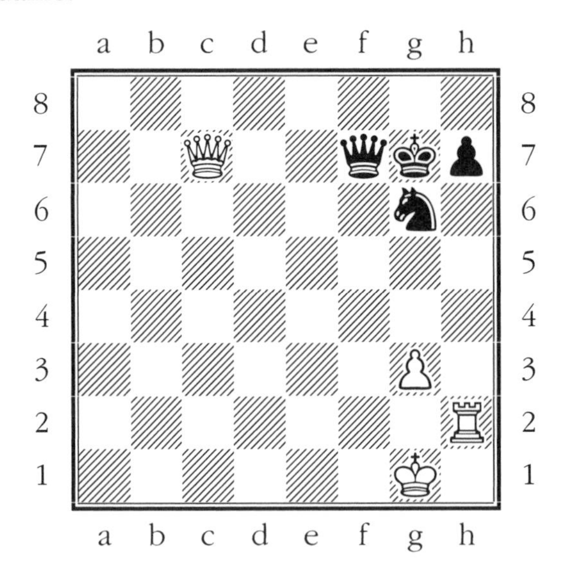

En capturant le pion h7 avec leur tour (le coup est 1.Th2xh7 +), les blancs forcent le roi à lâcher la main de sa dame ! Après 1... Rg7xh7, les blancs capturent la pauvre dame abandonnée avec 2.Dc7xf7.

L'attaque à la découverte

L'attaque à la découverte est réalisée lorsqu'une pièce jouée libère ou découvre l'attaque d'une autre pièce de son camp. Souvent la pièce jouée créera également des menaces désastreuses qui ne pourront être défendues. L'échec double et l'échec à la découverte sont les cas les plus dangereux de ce thème tactique.

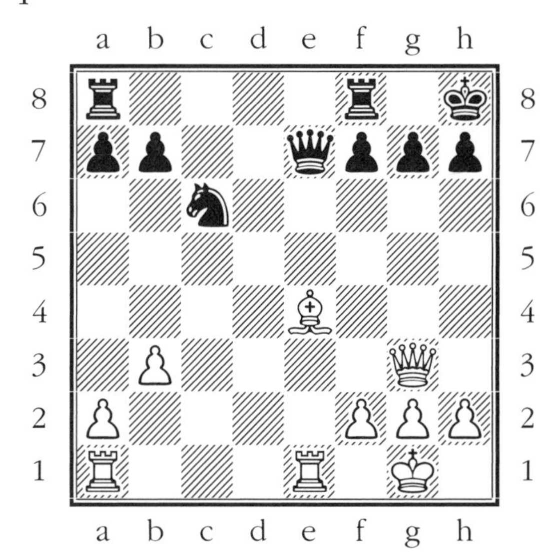

Les blancs peuvent capturer sans crainte le cavalier en c6 avec leur fou, car ils attaquent alors la dame noire avec leur tour en e1. Les noirs doivent jouer leur dame afin de ne pas la perdre. Le diagramme suivant montre la force terrifiante d'un échec double : après 1.Td5-d8+ c'est échec et mat ! Les noirs avaient pourtant un énorme avantage matériel !

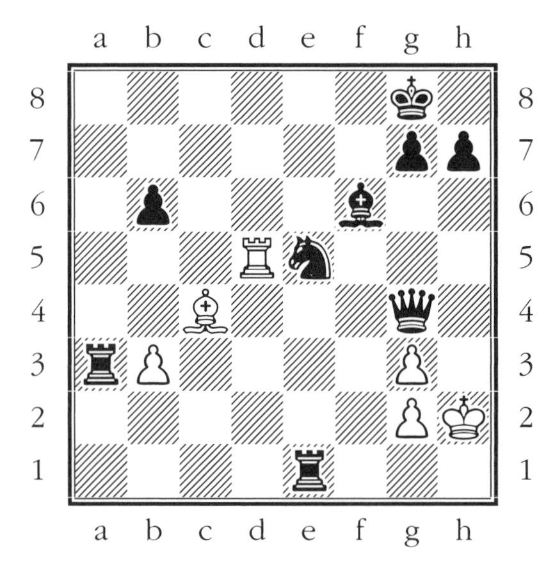

L'élimination d'un défenseur

Cette manœuvre tactique permet le gain matériel ou le mat grâce à l'élimination d'une pièce jouant un rôle défensif important. En capturant cette pièce, la position adverse s'écroule en raison des menaces multiples que l'adversaire ne peut défendre toutes à la fois ou d'une menace unique mais imparable. Dans la position du diagramme suivant, le Cf6 défend la case h7 et empêche les blancs de mater avec Dd3xh7 mat. Le sacrifice 1.Tf1xf6 ! gagne le cavalier et même la dame, car il y a encore la menace de mat en h7 !

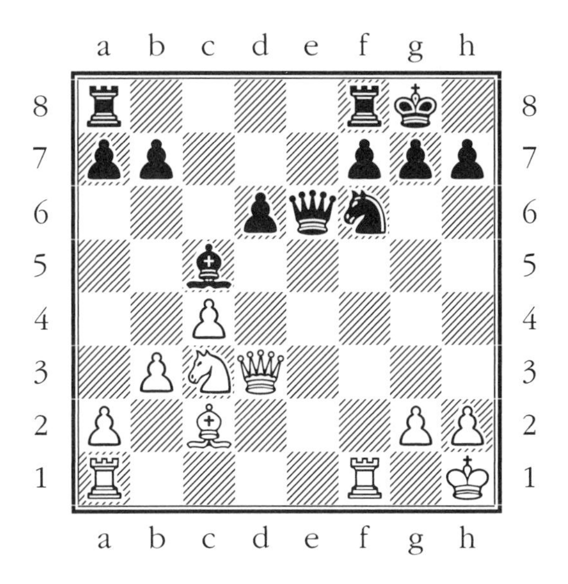

Il est parfois possible d'attaquer le défenseur entraînant alors la perte d'une pièce pour l'adversaire. Le cavalier noir de la position suivante défend la tour de la case d7. Les blancs n'ont qu'à attaquer le cavalier avec leur pion, 1.e4-e5, pour gagner du matériel au coup suivant. Si le cavalier s'enfuit : gain de la tour avec 2.Db5xd7. Sinon, le pion capture le cavalier avec 2.e5xf6.

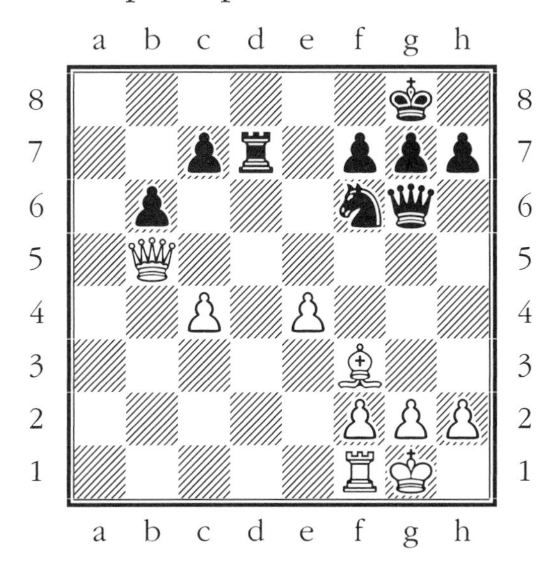

Éléments de stratégie

La stratégie est un vaste sujet étroitement lié à la position des pièces. Ses éléments positionnels peuvent être regroupés en avantages et en faiblesses.

Avantages positionnels

1. Contrôle du centre
2. Avantage d'espace
3. Contrôle d'une colonne ouverte ou de la septième rangée
4. Case forte pour le cavalier

Faiblesses positionnelles

1. Pièce emprisonnée
2. Roi vulnérable
3. Pions faibles (isolés, doublés, arriérés)
4. Cases faibles

François André Philidor (1726-1795) : importance des pions

Orphelin à 5 ans, il fut pris en charge par nul autre que le roi Louis XV au château de Versailles ! Très vite, il démontra ses multiples talents pour la musique et les échecs. Il aimait rire et faire rire : il est un des créateurs de l'opéra-comique ! On peut d'ailleurs voir son buste côtoyer ceux des plus grands artistes français à l'Opéra de Paris. Il écrivit la fameuse petite phrase : « Les pions sont l'âme des échecs. » Philidor fut le premier à insister sur l'importance de bien placer les pions pour libérer le champ d'action des autres pièces. Les pions sont des obstacles pour les pièces : il ne faut pas les placer sur leur chemin. Le placement des pions détermine aussi la suite de la partie. Il faut également avancer les pions prudemment. Contrairement aux autres pièces, ils ne peuvent plus reculer pour fuir ! En 1747, Philidor vainquit Philippe Stamma, le champion de l'époque, avec huit victoires contre seulement une défaite !

Comment emprisonner une pièce?

Il est possible d'empêcher une pièce de jouer en bloquant ou en contrôlant ses cases de fuite. Dans l'exemple suivant, le fou empêche le cavalier de se déplacer en contrôlant toutes les cases où celui-ci peut aller.

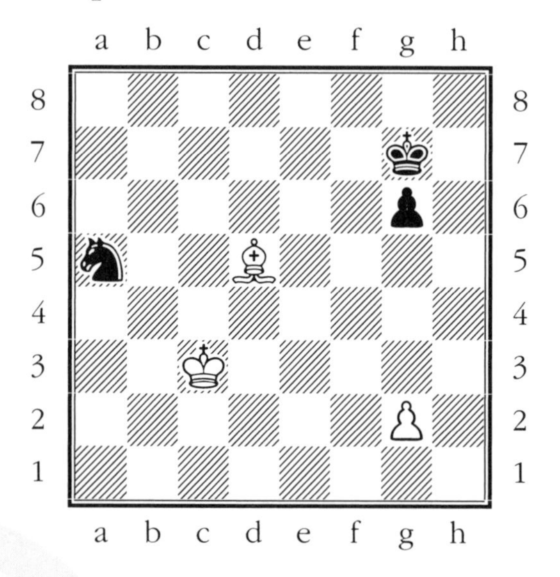

Wilhelm Steinitz (1836-1900) : importance stratégique d'accumuler des petits avantages

Né à Prague en 1836, Wilhelm Steinitz est considéré comme le père des échecs modernes. Il fut le premier champion du monde officiel de 1886 à 1894. Il élabora des principes idéalement adaptés aux positions fermées – où les pions sont bloqués – unissant la stratégie et la tactique. Avec patience, il gagnait chacune de ses parties en améliorant sa position et en essayant de détériorer celle de ses adversaires. Il préférait accumuler de petits avantages et concentrer son jeu sur les faiblesses de l'adversaire.

L'ouverture : comment débuter une partie correctement

Le début de partie – communément appelé l'ouverture – est l'étape initiale de positionnement des pièces et de préparation pour l'affrontement futur. Comment procéder dans l'ouverture ? Il faut sortir le plus de pièces possibles : c'est fondamental. Ne pas laisser les pièces s'ennuyer sur leurs cases de départ ! Il faut occuper le centre avec un ou deux pions. Il faut roquer rapidement pour placer son roi en sécurité. Il ne faut pas sortir la dame trop tôt. Il ne faut pas négliger le développement des pièces dans le but de capturer un pion – gambit de l'adversaire –, car en général c'est trop risqué.

Une partie complète avec l'ouverture expliquée coup par coup

Voyons comment jouent les meilleurs joueurs du monde.

PETER LEKO – LAZARO BRUZON,
TOURNOI INTERNATIONAL DE WIJK ANN ZEE, 2005

1.e2-e4 Le pion occupe et contrôle le centre et ce coup permet de dégager les diagonales du fou en f1 et de la dame. **1… e7-e5** Les noirs aussi vont pouvoir développer le fou en f8 et, bien plus tard dans le milieu de partie, la dame. **2.Cg1-f3** Ce coup attaque le pion e5 et développe le cavalier. **2… Cb8-c6** Les noirs protègent leur pion du centre et développent aussi une pièce. Si les blancs capturent le pion, les noirs reprennent avec le cavalier et gagnent un cavalier en échange d'un petit pion ! **3.Ff1-b5** Les blancs développent leur fou et peuvent ultérieurement capturer Fb5xc6. **3… a7-a6** Coup subtil introduit dans la pratique par Paul Morphy. Les noirs forcent les blancs à dévoiler leur stratégie : capturer ou reculer. Il faut noter que la capture 4.Fc6xb5 d7xc6 5.Cf3xe5 n'est pas bonne à cause 5… Dd8-d4 qui permet de regagner le pion avec 6… Dxe4+ avec une bonne partie. **4.Fb5-a4** Les blancs préfèrent conserver leur fou. **4… Cg8-f6** À leur tour, les noirs attaquent le pion e4… mais est-ce une si grande menace ?

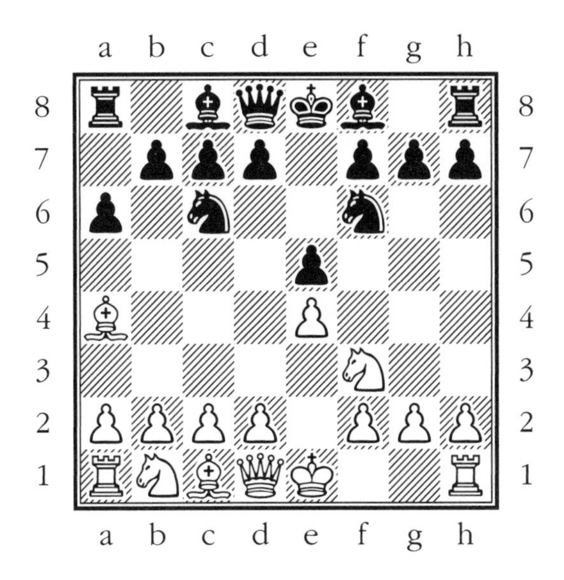

5.0-0 Les blancs décident de roquer, ils jugent que le coup 5… Cxe4 n'est pas à craindre, car leur meilleur développement leur permettrait de récupérer le pion et d'obtenir l'avantage. **5… Ff8-e7** Les noirs ne succombent pas à la tentation ! **6.Tf1-e1** La tour est déjà active grâce au roque ! **6… b7-b5** Permet d'attaquer le fou et d'empêcher pour toujours la menace Fa4xc6. **7.Fa4-b3** Les blancs n'ont pas le choix, il faut reculer pour conserver le fou. **7… d7-d6** Protège finalement le pion e5. **8.c2-c3** Un fort coup qui permet de jouer d2-d4 plus tard. **8… 0-0** Il est temps de mettre le roi à l'abri. **9.h2-h3 Cc6-a5 10.Fb3-c2 c7-c5 11.d2-d4**

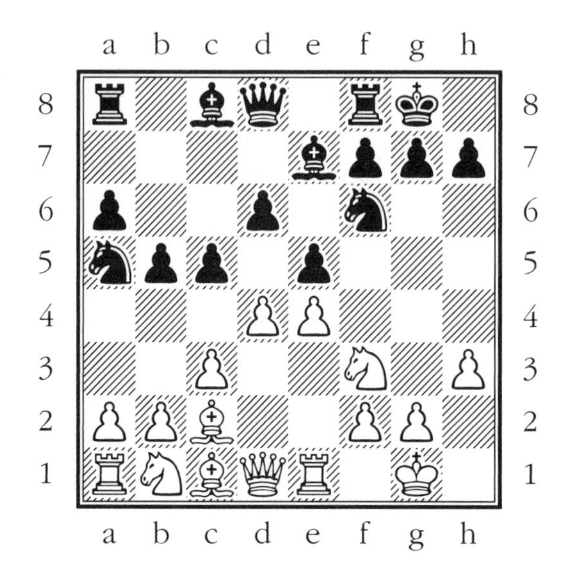

L'ouverture est presque terminée, il ne reste plus qu'à sortir le Cb1 et le Fc1. Ce fou est toutefois actif: il contrôle la diagonale c1-h6. **11… Dd8-c7 12.Cb1-d2 c5xd4 13.c3xd4 Fc8-d7** Le développement est presque terminé, il ne reste plus qu'à sortir les tours et contrôler les colonnes ouvertes. **14.Cd2-f1 Ta8-c8 15.Te1-e2 Ca5-c6 16.a2-a3 e5xd4 17.Cf3xd4 Tf8-e8?** La suite 17… Cc6xd4 18.Dd1xd4 Fd7-c6 est plus prometteuse. **18.Cf1-g3 d6-d5 19.Cd4xc6 Fd7xc6 20.e4-e5! Cf6-e4 21.Fc1-f4!** Le développement est finalement terminé. Les blancs sont maintenant près à attaquer! **21… g7-g5?**

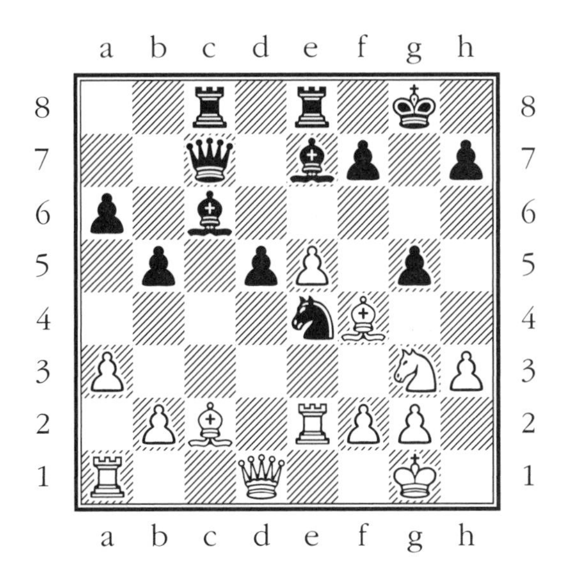

Quelle horreur ! Le coup 21… g7-g6 était bien meilleur. Les noirs oublient qu'il faut veiller à la sécurité de leur roi. Ce coup perd la partie, tant pis ! **22.Cg3-f5 !** Offre le fou en sacrifice. **22… g5xf4 23.Te2xe4** Wow ! Un autre sacrifice, mais facile à voir à cause de la menace 24.Dd1-g4 + et 25.Dg4-g7mat ! **23… Rg8-h8 24.Te4-e1 Fc6-d7 25.e5-e6 ! 1-0.**

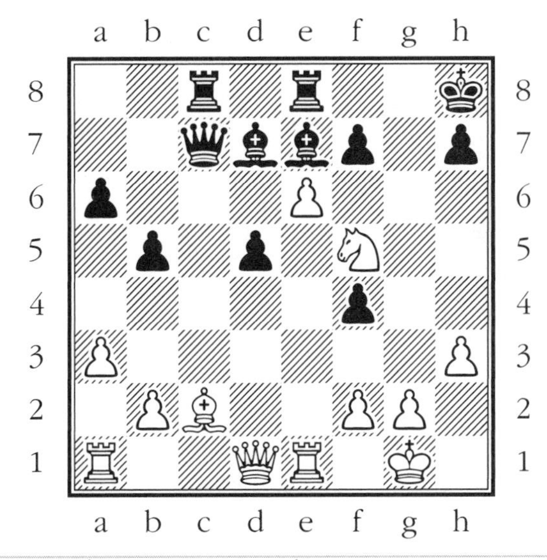

Les noirs ont abandonné puisqu'ils se font mater en quelques coups : si 25… f7xe6 26.Dd1-d4 + e6-e5 27.Te1xe5 avec une terrible menace d'échec à la découverte 28.Te5xe7 +. Si 27… Fd7xf5 alors 28.Te5xe7 + Rh8-g8 29.Dd4-g7mat.

PAUL MORPHY (1837-1884)

IMPORTANCE DU DÉVELOPPEMENT RAPIDE DES PIÈCES

Paul Morphy est né à La Nouvelle-Orléans aux États-Unis en 1837 d'une famille d'origine française et espagnole. Enfant, il était déjà très bon aux échecs et fut rapidement maître du jeu dès l'âge de 13 ans. Sa carrière météorique dura trois ans de 1857 à 1859 au cours de laquelle il vainquit tous ses adversaires, les meilleurs au monde, dans de nombreux matches à New York et en Europe. Morphy s'appliquait totalement au développement des pièces : à la différence des autres joueurs de son époque, il attendait que toutes ses pièces soient développées avant de passer à l'attaque. Cette stratégie, jumelée avec son don pour les combinaisons, le rendirent rapidement célèbre.

Principales ouvertures

Partie italienne

1.e2-e4 e7-e5 2.Cg1-f3 Cb8-c6 3.Ff1-c4 Ff8-c5

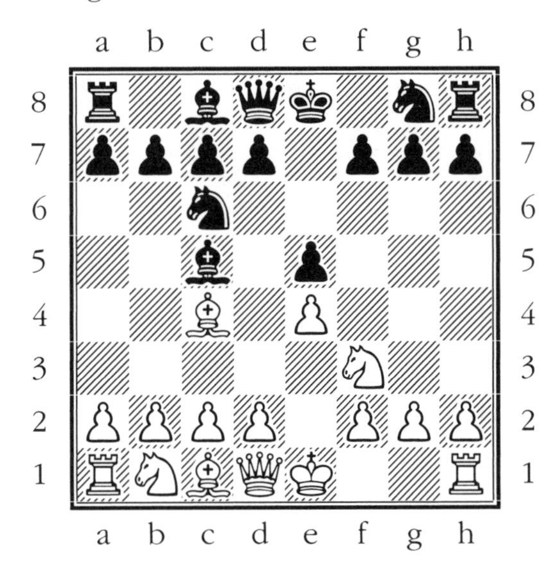

Partie des quatre cavaliers

1.e2-e4 e7-e5 2.Cg1-f3 Cb8-c6 3.Cb1-c3 Cg8-f6

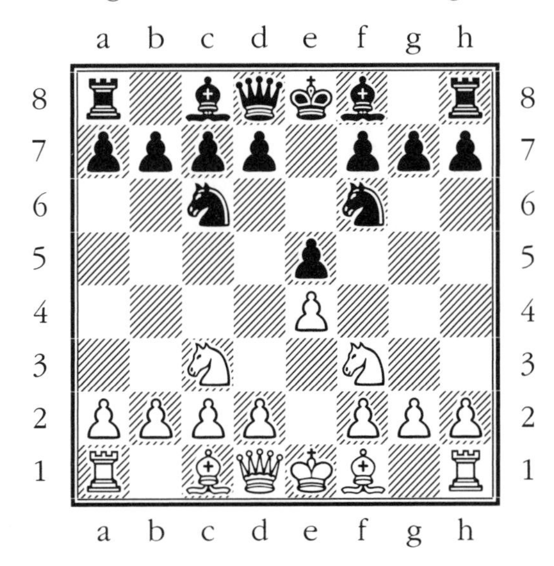

Partie espagnole

1.e2-e4 e7-e5 2.Cg1-f3 Cb8-c6 3.Ff1-b5

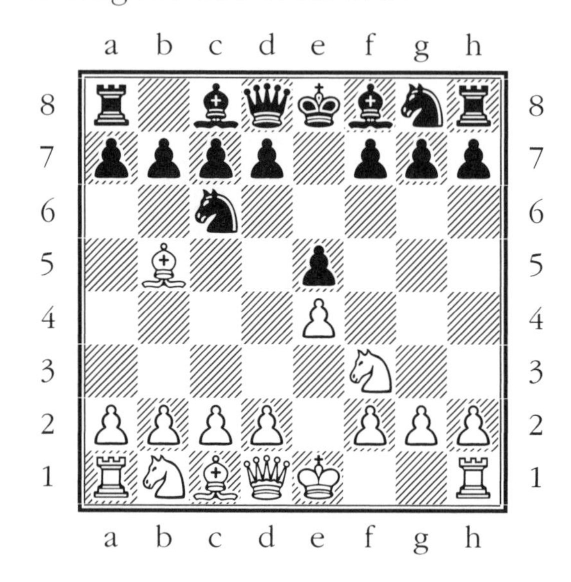

Défense Caro-Kann

1.e2-e4 c7-c6 2.d2-d4 d7-d5

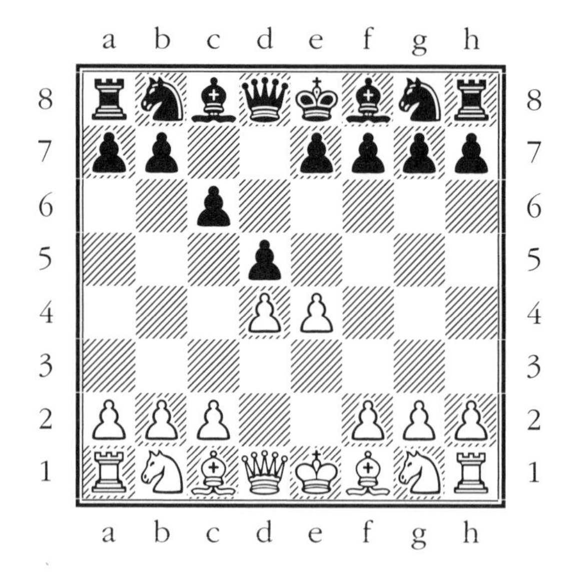

Défense française

1.e2-e4 e7-e6 2.d2-d4 d7-d5

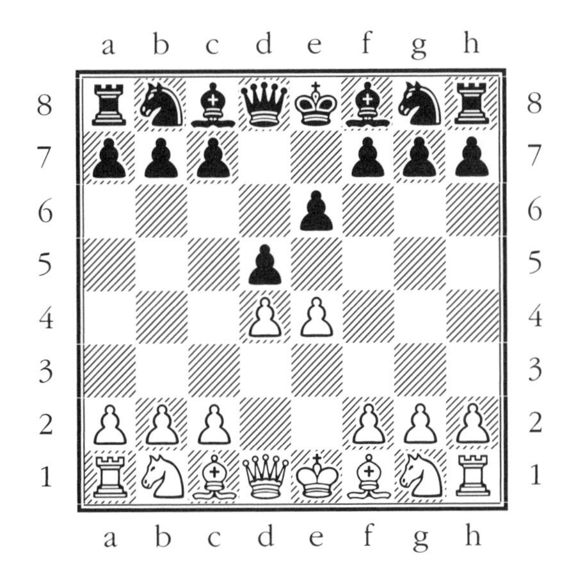

Défense sicilienne

1.e2-e4 c7-c5 2.Cg1-f3 d7-d6 3.d2-d4 c5xd4 4.Cf3xd4 Cg8-f6 5.Cb1-c3 a7-a6 (Variante ouverte Najdorf).

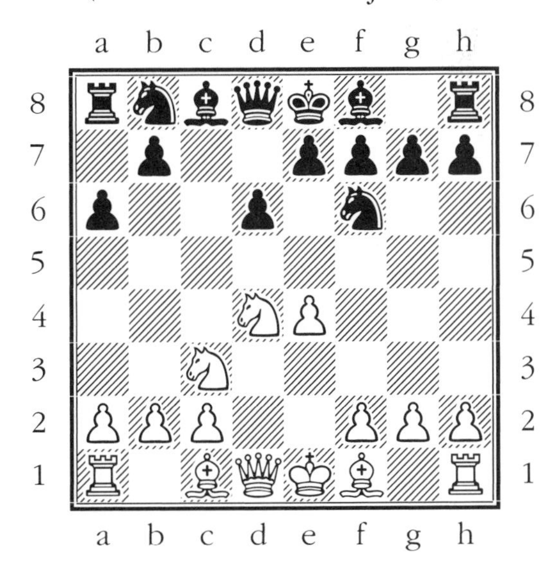

Gambit de la dame accepté

1.d2-d4 d7-d5 2.c2-c4 d5xc4 3.Cg1-f3 Cg8-f6 4.e2-e3 e7-e6 5.Ff1xc4 c7-c5

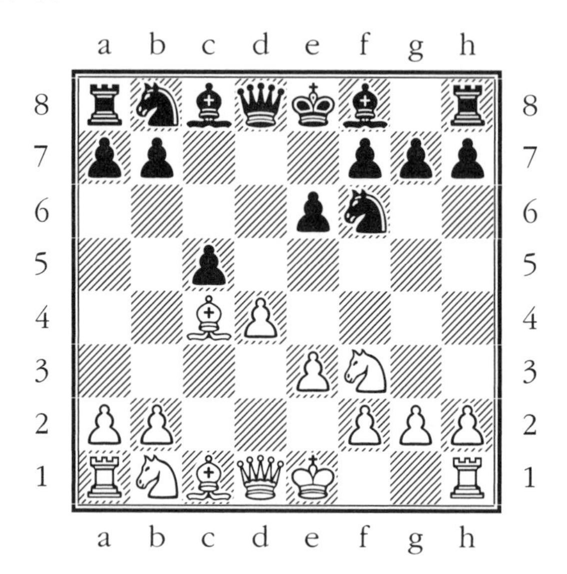

Gambit de la dame refusé variante orthodoxe

1.d2-d4 d7-d5 2.c2-c4 e7-e6 3.Cb1-c3 Cg8-f6 4.Fc1-g5 Cb8-d7 5.Cg1-f3 Ff8-e7 6.e2-e3 0-0

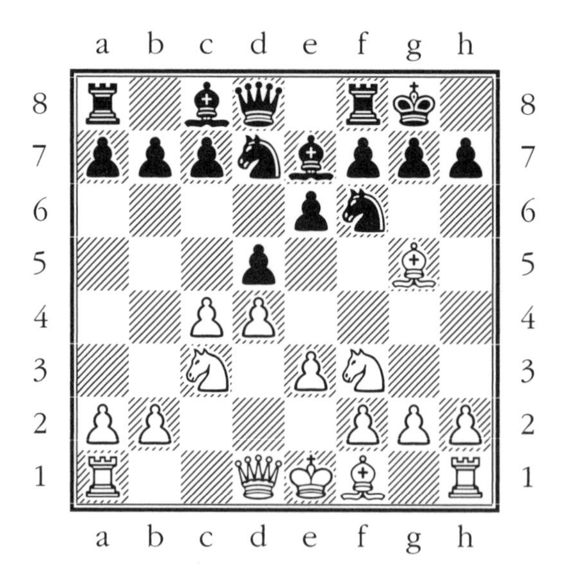

Gambit de la dame refusé variante de la défense slave

1.d2-d4 d7-d5 2.c2-c4 c7-c6 3.Cb1-c3 Cg8-f6 4.Cg1-f3 d5xc4 5.a2-a4

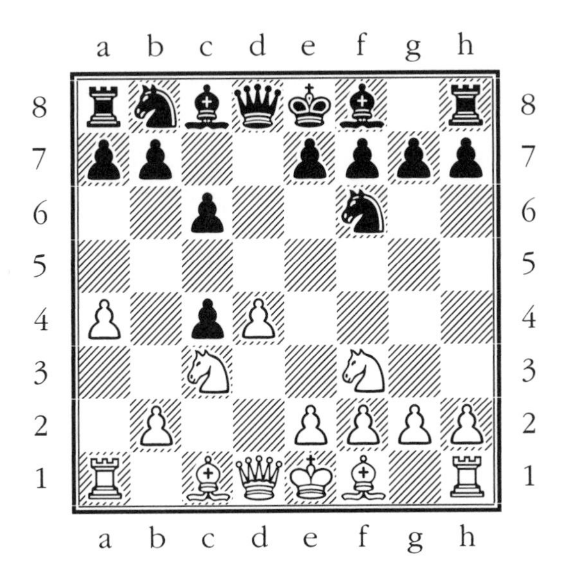

Défense est-indienne

1.d2-d4 Cg8-f6 2.c2-c4 g7-g6 3.Cb1-c3 Ff8-g7 (le fou est placé en « fianchetto »).

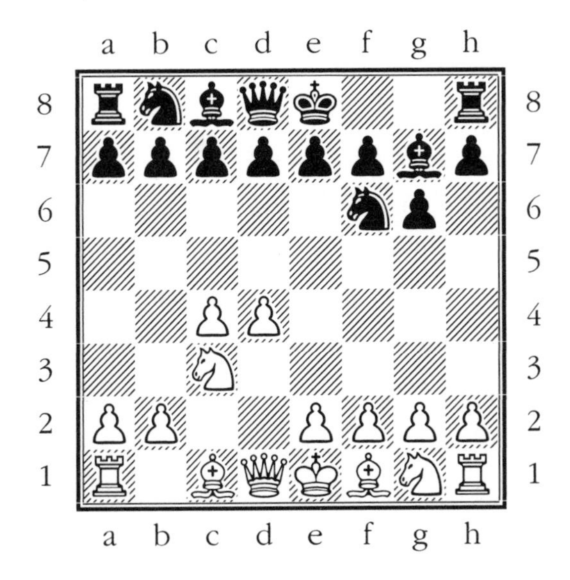

Garry Kasparov : la préparation phénoménale des ouvertures

Né en 1963 à Bakou (Azerbaïdjan), Garry Kasparov est devenu champion du monde en 1984 après un match épique contre Anatole Karpov. Il est considéré comme le joueur le plus fort de tous les temps : sa cote Elo est supérieure à 2800 ! Il est tristement célèbre pour avoir perdu un match contre l'ordinateur Deep Blue de IBM en 1997 ! Ironiquement, Kasparov prépare ses parties avec l'aide des meilleurs logiciels d'échecs au monde : Chessbase, Fritz, HIARCS et Junior. Sa partie contre Rustam Kasimdzhanov à Linares en 2005 est typique de son style.

Kasimdzhanov – Kasparov, Linares, 2005

1.d2-d4 d7-d5 2.c2-c4 c7-c6 3.Cb1-c3 Cg8-f6 4.e2-e3 e7-e6 5.Cg1-f3 Cb8-d7 6.Ff1-d3 d5xc4 7.Fd3xc4 b7-b5 8.Fc4-d3 Fc8-b7 9.0-0 a7-a6 10.e3-e4 c6-c5 11.d4-d5 Dd8-c7 12.d5xe6 f7xe6 13.Fd3-c2 c5-c4 14.Cf3-d4 Cd7-c5 15.Fc1-e3 e6-e5 16.Cd4-f3 Ff8-e7 17.Cf3-g5 0-0!? 18.Fe3xc5 Fe7xc5 19.Cg5-e6 Dc7-b6 20.Ce6xf8 Ta8xf8 21.Cc3-d5 Fb7xd5 22.e4xd5 Fc5xf2+ 23.Rg1-h1 e5-e4 24.Dd1-e2 e4-e3 25.Tf1-d1 Db6-d6 26.a2-a4 g7-g6 27.a4xb5 a6xb5 28.g2-g3 Cf6-h5 29.De2-g4 Ff2xg3! 30.h2xg3 Ch5xg3+ 31.Rh1-g2 Tf8-f2+ 32.Rg2-h3 Cg3-f5 33.Td1-h1 h7-h5 34.Dg4xg6+ Dd6xg6 35.Th1-g1 Dg6xg1 36.Ta1xg1+ Rg8-f7 0-1 car la finale est gagnante pour les noirs puisqu'ils ont deux pions de plus.

Chapitre 7

L'AFFRONTEMENT

Sylvie :

— Voici un dépliant remis par M. Kastapov. Il y a des conseils et des astuces pour bien jouer. Je vais vous les lire.

Conseils et astuces que le maître Kastapov enseigne à son académie

— À ton niveau, il faut jouer souvent. Avant chaque coup, se demander si :

- Mon adversaire menace une de mes pièces. Si oui, annuler cette menace ou contre-attaquer avec ma propre menace plus importante.
- Le coup que j'envisage de jouer laisse une de mes pièces en prise.
- Je peux infliger une terrible fourchette gagnante ou toute autre attaque terrifiante !
- Mon adversaire dispose après mon coup d'une terrible fourchette gagnante ou toute autre attaque terrifiante !

Bien regarder ! Il faut regarder si l'adversaire laisse une pièce en prise. Si c'est le cas, regarde s'il y a un piège. Si tu n'en vois pas, vas-y, capture la pièce ! De même, il faut faire attention pour ne pas toi-même laisser des pièces sans protection ! Avec la pratique, tu pourras visualiser — te mettre dans l'œil — la position des pièces en quelques secondes !

Il faut se concentrer aux échecs. Ne pas regarder la télévision en même temps qu'on joue aux échecs : on risque de faire des gaffes qu'on regrettera.

Il faut prendre son temps. Il faut réfléchir et choisir le coup qu'on croit être le meilleur. Il est important de regarder les choix possibles et de sélectionner le coup le plus logique en tenant compte des principes de la stratégie et de la tactique. Un truc : faire comme si on expliquait la partie à soi-même.

Il est très instructif de rejouer les parties des champions en essayant de deviner et comprendre les coups. Tu n'as qu'à cacher les coups avec une règle ou un signet.

Après chaque coup de l'adversaire, demande-toi : quel est son objectif ? ; quel est son plan ?

De temps en temps, demande-toi : qui a l'avantage ? ; qui a le plus de matériel ? ; qui a les pièces les mieux placées ? ; qui a des faiblesses (pions isolés, doublés ou arriérés) dans la structure de pions ? ; qui contrôle le centre ? ; qui contrôle les colonnes et les diagonales importantes ?

C'est celui qui fait la dernière erreur qui perd la partie ! Alors, si tu t'aperçois que le coup que tu as joué est faible, ne lâche pas. Persiste et dis-toi que ton adversaire peut également faire une erreur.

Si tu gardes ta concentration et que la partie est longue, il y a de bonnes chances que ton adversaire fasse une erreur d'inattention due à la fatigue ou à l'impatience ! N'essaie pas de gagner rapidement ! Applique les principes de Morphy : développe tes pièces coûte que coûte ! Il sera très facile d'attaquer lorsque les pièces seront bien positionnées. Préserve tes pions. Tu en auras besoin lors de la fin de partie. La valeur d'un pion augmente en fin de partie lorsqu'il y a moins d'obstacles sur son chemin et plus de chance de le damer !

Commence par jouer les mêmes ouvertures. Débute toujours avec le même coup lorsque tu as les blancs. Avec les noirs, décide à l'avance quelle ouverture jouer contre les divers premiers coups des blancs. Ainsi, tu te constitueras un répertoire d'ouvertures que tu connaîtras de plus en plus. Joue des ouvertures réputées et non risquées. Pourquoi risquer de perdre si on joue mieux ?

Joue de manière active. Fonce dans les complications tactiques seulement si tu te sens nettement supérieur à ton adversaire dans ce type de situation. Place ton roi en sécurité avant d'attaquer ! Dès qu'un coup te semble bon, joue-le. Il n'est pas nécessaire que ce soit le meilleur, l'essentiel est de progresser lentement sans faire de gaffe. Il est bien plus important de ne pas faire d'erreur que de jouer des coups brillants mais de tous gâcher avec un très mauvais coup. Ne pense pas à l'adversaire ou à ton classement. Joue selon la position et non selon la force de ton adversaire ou selon l'enjeu de la partie. Rejoue les parties des meilleurs joueurs et joue le plus souvent que tu peux ! Tu dois garder la confiance même si tu perds souvent ! Rappelle-toi : « Tu devras perdre ta dame au moins mille fois avant de devenir un joueur aguerri. »

Sofia affronte Boris

Sylvie :

— Vous devez tirer la couleur. Il faut qu'un de vous prenne un pion blanc dans une main et un pion noir dans l'autre main, en cachette derrière le dos, et qu'il présente ensuite les mains à l'adversaire. L'adversaire n'a plus qu'à choisir une main, et donc la couleur !

Boris :

— Tu prends quelle main Sofia ?

Sofia :

— La droite. C'est le pion noir ! Allez, pousse ton pion blanc !

Blancs (Boris) – Noirs (Sofia)

1.e2-e4 Boris : — Voilà, attention à ton centre ! **1… e7-e5** Sofia : — Grâce à mon pion, je rétablis l'équilibre au centre. **2.Cg1-f3** Boris : — Trouve ma menace ! **2… Cb8-c6** Sofia : — Trop facile ! La prochaine fois, je contre-attaque, attention ! **3.Cb1-c3** Boris : — C'est plus facile pour toi, car tu copies mes coups ! **3… Cg8-f6** Sofia : — Seulement les bons coups ! Caïssa : — La partie des quatre Cavaliers. **4.Ff1-b5** Boris : — Tu es tenace ! **4… Cc6-d4** Sofia : — Tu t'en tires bien toi aussi grâce à ta persévérance. **5.Fb5-a4** Boris : — Je contrôle le centre et une diagonale importante, et en plus je me prépare à placer mon roi en sécurité. **5… Ff8-c5 !**

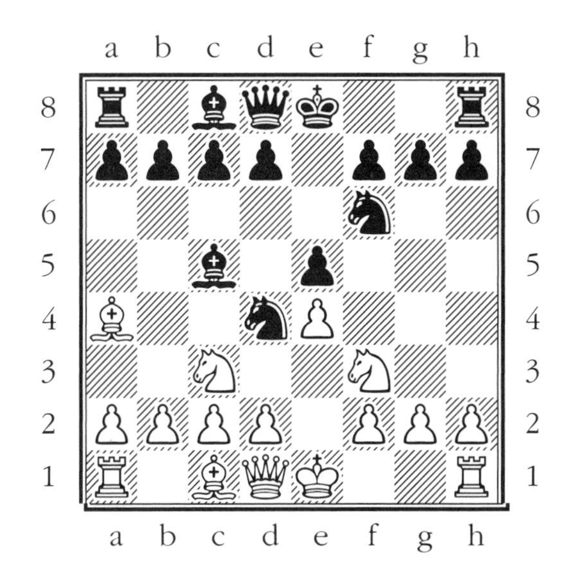

Sofia : — Moi, je sors rapidement mes pièces. C'est l'étape de mobilisation de nos troupes. Caïssa : — Les noirs jouent un gambit ! **6.Cf3xe5 0-0** Le petit roque. Sofia : — Je débute une attaque dès que tu affaiblis ta position ! **7.Ce5-d3** Boris : — Dans tes rêves ! Mon centre est solide comme du béton !

7… Fc5-b6 Sofia : — Ne te repose pas sur tes lauriers, tu pourrais le regretter ! D'ailleurs, j'ai égalisé… Boris : — Voyons, qu'est-ce que je fais maintenant… Sofia : — Ne compte pas sur moi pour te le dire ! **8.e4-e5** Boris : — Je sens que tu vas craquer… **8… Cf6-e8** Sofia : — N'y pense pas, j'ai des nerfs d'acier. **9.0-0** Caïssa : — C'est au tour de Boris de faire le petit roque. Boris : — Sofia, on dirait que tu lis dans mes pensées. **9… d7-d6** Sofia : — Profites-en car ça ne durera pas longtemps. **10.e5xd6 Ce8-f6 !** (Si 10… Cxd6 11.Rh1 et 12.Cf4 et les blancs dominent.)

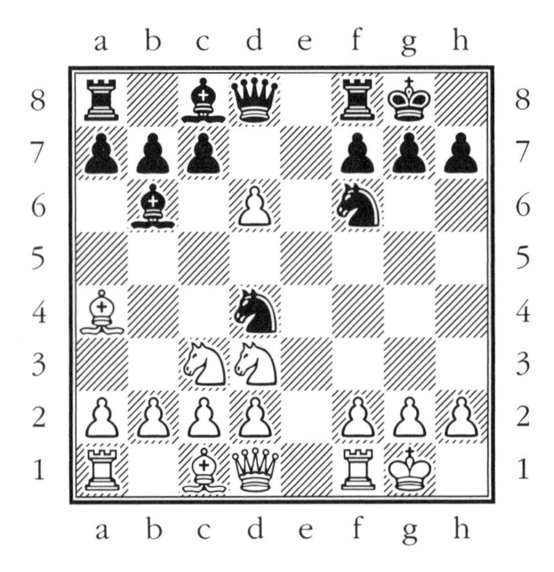

11.d6-d7 ! Caïssa : — Sacrifice d'obstruction pour échanger les fous. **11… Fc8xd7 12.Fa4xd7 Dd8xd7 13.Cd3-e1 Ta8-e8 14.d2-d3**

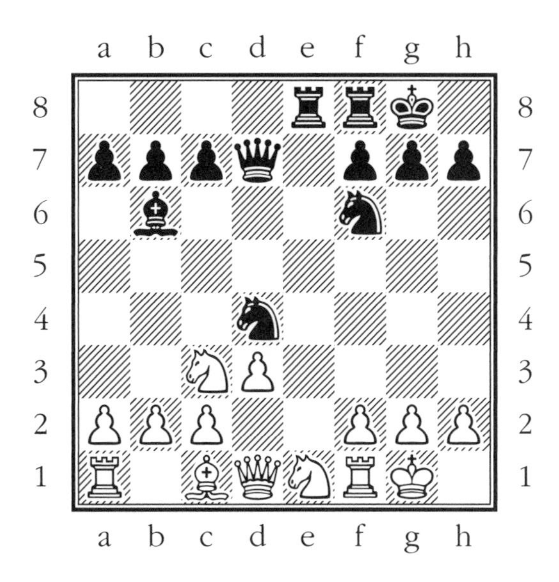

Boris: — Je m'inspire de Steinitz, j'avance à petits pas!
14... Cf6-g4 Sofia: — Attention car moi je fonce à la Morphy!
15.Ce1-f3 Boris: — Assez discuté, je vais te mater!
15... Cd4xf3+

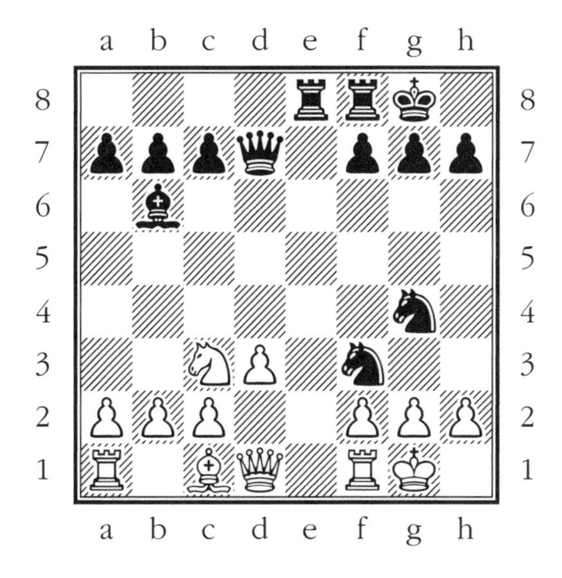

Sofia: — C'est noté, je trouve que tu deviens effronté, petit frère!

Miaou, miaou ! Le chat saute et cours vers la porte d'entrée.

Sofia :

— Maman, Papa !

Maman :

— Mes chéris ! Vous avez une bonne mine !

Papa :

— Bonsoir les enfants ! Vous jouez aux échecs ?

Boris :

— C'est facile à apprendre, regardez ma belle structure de pions !

Maman :

— C'est vrai ! Notre voyage fabuleux nous a permis nous aussi de visiter le fameux royaume…

Et les enfants, emportés par leurs échanges effrénés ont continué…

Selon toi, cher lecteur, qui a gagné ? À toi maintenant d'inventer les plus belles parties !

Caïssa :

— Le début de la partie des enfants est calqué sur celle entre Jansa et Pachman, jouée à Prague en 1966, qui continua : **16.Dd1xf3 Cg4xf2 17.Cc3-d5 ! Dd7xd5 !! 18.Df3xd5 Cf2-h3 + 19.Rg1-h1 Ch3-f2+** et nulle par échec perpétuel ! Si Tf1xf2?, alors il y a le fameux mat du couloir avec 20…Te8-e1+ 21.Tf2-f1#!

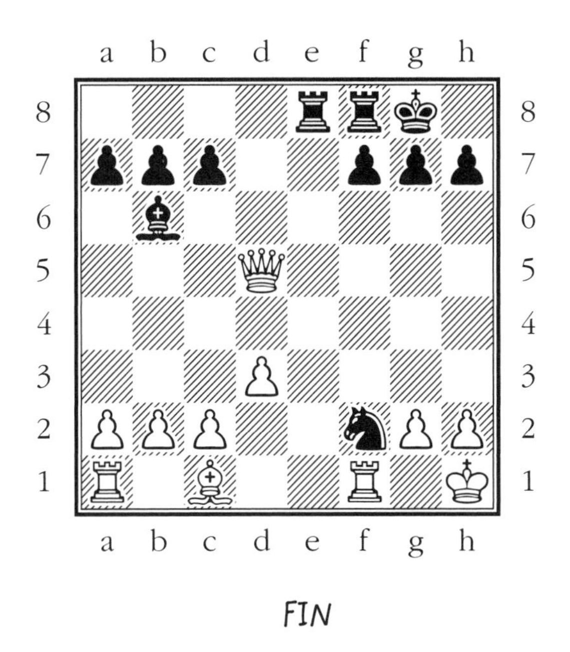

FIN

Lexique

Abandonner

Donner la victoire à l'adversaire lorsqu'on est certain de perdre la partie. On abandonne avec élégance en renversant doucement son roi sur l'échiquier.

Aile-dame

Les quatre colonnes (a, b, c et d) de la moitié de l'échiquier du côté de la dame.

Aile-roi

Les quatre colonnes (e, f, g et h) de la moitié de l'échiquier du côté du roi.

Blitz (mot allemand qui signifie « éclair »)

Partie avec chronomètre où chaque joueur dispose de cinq minutes pour jouer tous les coups.

Centre

Le territoire délimité par les cases d4, e4, d5 et e5.

Combinaison

Suite de coups forcés qui débute généralement par un sacrifice.

Damer le pion

Forcer la promotion du pion en dame.

Développement

Amélioration de la position des pièces afin de contrôler plus de cases.

En prise (en l'air)

Pièce qui n'est pas défendue et que l'adversaire peut capturer au coup suivant.

Gambit

Sacrifice d'un pion

Qualité

La différence de valeur entre une tour et un cavalier (ou un fou). La qualité vaut donc deux pions (tour = 5 pions, cavalier = 3 pions, 5 pions moins 3 pions = 2 pions).

Pièce mineure

Nom donné aux cavaliers et aux fous.

Pièce lourde

Nom donné aux tours et aux dames.

Prise en passant

Capture spéciale du pion de l'adversaire.

Sacrifice

Donner une pièce ou un pion à l'adversaire pour obtenir un autre avantage non matériel (un pion passé par exemple) en échange.

Stratégie

Chercher un ou plusieurs objectifs à obtenir et éventuellement gagner.

Tactique

Toutes les manœuvres qui permettent de gagner ou d'annuler.

Tempo

Représente un coup d'un camp seulement. Permet de calculer le nombre de coups pour atteindre une case.

Trait

Représente le tour de jouer. Si c'est au tour des blancs à jouer, on dit que les blancs ont le trait.

Variante

Une suite de coups à jouer.

Zeitnot

Lorsqu'un joueur manque de temps de réflexion sur son chronomètre.

Zugswang

Mot d'origine allemande utilisé pour indiquer une situation curieuse où le joueur préférerait ne pas jouer, car tous les coups possibles sont mauvais.

Zwischenzug

Encore un mot d'origine allemande qui signifie coup intermédiaire.

Table des matières

Dans la même collection